DU MÊME AUTEUR

Aux Éditions Gallimard

UN AMÉRICAIN PEU TRANQUILLE (« Folio », *nº 4171*).

DES FEUX MAL ÉTEINTS (« Folio », *nº 1162*).

DES BATEAUX DANS LA NUIT (« Folio », *nº 1645*).

L'ÉTUDIANT ÉTRANGER (« Folio », *nº 1961*).

UN ÉTÉ DANS L'OUEST (« Folio », *nº 2169*).

LE PETIT GARÇON (« Folio », *nº 2389*).

QUINZE ANS (« Folio », *nº 2677*).

UN DÉBUT À PARIS (« Folio », *nº 2812*).

LA TRAVERSÉE (« Folio », *nº 3046*).

RENDEZ-VOUS AU COLORADO (« Folio », *nº 3344*).

MANUELLA (« Folio », *nº 3459*).

JE CONNAIS GENS DE TOUTES SORTES (« Folio », *nº 3854*).

LES GENS (« Folio », *nº 5092*).

7 500 SIGNES.

Dans la collection « À voix haute »

MON AMÉRIQUE.

Aux Éditions Albin Michel

TOMBER SEPT FOIS, SE RELEVER HUIT, 2003 (« Folio », *nº 4264*).

FRANZ ET CLARA, 2006 (« Folio », *nº 4612*).

Aux Éditions Denoël

TOUS CÉLÈBRES.

Aux Éditions La Martinière

MON AMÉRIQUE (édition illustrée).

Suite des œuvres de Philippe Labro en fin de volume

LE FLÛTISTE INVISIBLE

PHILIPPE LABRO

LE FLÛTISTE INVISIBLE

roman

GALLIMARD

Il a été tiré de l'édition originale de cet ouvrage
quarante exemplaires sur vélin pur fil
des papeteries Malmenayde numérotés de 1 *à* 40.

© *Éditions Gallimard, 2013.*

À Simon Leys

« Tout est déterminé par des forces sur lesquelles nous n'exerçons aucun contrôle. Ceci vaut pour l'insecte autant que pour l'étoile. Les êtres humains, les légumes, la poussière cosmique — nous dansons tous au son d'une musique mystérieuse, jouée à distance par un flûtiste invisible. »

ALBERT EINSTEIN

Personne n'est capable d'entendre l'ultime soupir d'une fleur qui se fane, pas plus qu'il n'est possible d'entendre le frisson de la descente d'un rideau de flocons sur une masse de neige déjà posée là, installée — structure éphémère.

Il y a des bruits, des sons, que nous ne sommes pas en mesure d'entendre, et cependant ils existent. Il y a, de la même façon, des formes et des couleurs que nous ne sommes pas capables de voir, et cependant elles existent.

Seul le vent sait quelle feuille tombera la première.

Personne n'est capable de prédire pourquoi et comment un instant peut transformer une vie. Il y a une somme incalculable d'imprévisibilités dans une existence et dont les conséquences ne deviennent intelligibles que lorsque l'événement a eu lieu — parfois bien longtemps après. Comme Schindler, je crois qu'il n'y a qu'une seule chose dont nous devrions être certains : la sensation qu'autour de nous, avant ou après, en dedans ou en dehors, en dessus ou en dessous, il y a un élément inconnu sur lequel nous n'avons aucune prise, aucun contrôle, mais dont nous pouvons imaginer qu'il en exerce un sur nous. C'est l'élément inconnu qui m'intéresse.

Mieux que Schindler encore, Einstein a proposé la plus juste définition de cet indéfinissable avec la phrase qui sert d'exergue à ce roman : « Tout est déterminé par des forces sur lesquelles nous n'exerçons aucun contrôle. Ceci vaut pour l'insecte autant que pour l'étoile. Les êtres humains, les légumes, la poussière cosmique — nous dansons tous au son d'une musique mystérieuse, jouée à distance par un flûtiste invisible. »

Le flûtiste invisible a joué sa musique mystérieuse dans les trois séquences de ce livre. Hemingway écrivait à propos de l'un de ses textes : « Si le lecteur le souhaite, ce livre peut être tenu pour une œuvre d'imagination. »

BYE BYE BLACKBIRD

1

Je marchais le long de la rue de Sèvres, tournant le dos au carrefour Sèvres-Babylone-Raspail, en direction de Duroc et d'Edgar-Quinet.

L'air était sec, il faisait entre 19 et 21 degrés, ce qui, à Paris, constitue une très bonne température, pourvu que l'excès d'oxyde d'azote ne vienne détériorer votre respiration et instiller la bronchiolite dans l'organisme des milliers de bébés que les mères promènent dans leur poussette.

On ne sait jamais pourquoi une chanson plutôt qu'une autre vient surgir du fond de votre vécu, jusqu'au premier niveau de la mémoire — pourquoi celle-ci plutôt qu'une autre ? Je m'étais mis à siffloter un air ancien de jazz, que j'avais toujours aimé, une chanson de Ray Henderson et Mort Dixon, datant de 1926 : *Bye Bye Blackbird.*

Je ne suis pas un très bon siffleur, mais ça va, je ne siffle pas faux, et, la plupart du temps, on peut reconnaître l'air que j'ai choisi. J'ai toujours aimé la ligne mélodique de cette chanson autant que ces fragiles paroles, incitatrices d'images appartenant au monde du jazz et du polar, empreintes d'un certain fatalisme : *Bye Bye Blackbird*, ça sonne tout aussi bien en français, pour une fois : « Bye Bye, oiseau noir » — on pourrait s'avancer plus loin dans l'adaptation et traduire : « Adieu, adieu, belle de nuit. »

Un homme de haute taille, vêtu d'un long manteau grisâtre, m'arrêta alors qu'il arrivait à ma hauteur et s'apprêtait à me croiser. Il tendit le bras vers moi.

— Ah, monsieur, me dit-il, c'est bien *Blackbird* que vous êtes en train de siffler là ? Je ne me trompe pas ?

— En effet, il n'y a pas tellement de gens qui reconnaissent cette chanson, même si elle a été reprise, fréquemment, par des chanteurs de rock.

— Ah, monsieur, ah, monsieur, ânonnait le bonhomme, comme saisi par une émotion qui le poussait à m'agripper l'avant-bras — pour me retenir ou me faire partager quoi ?

J'ai reculé, mais il a répété une troisième fois :

— Ah, monsieur.

Puis il m'a serré d'encore plus près. Il n'avait rien d'agressif. Sur son visage aux rides fortement dessinées, je pouvais lire une sorte d'invitation à la confidence, une envie de parler. J'exprimai ma curiosité :

— Qu'est-ce qui vous arrive, qu'est-ce qui se passe avec cette chanson ?

— Ah, monsieur… Si vous saviez… Vous avez un moment à me consacrer ? Je peux vous offrir un café ?

— Pourquoi pas ? ai-je dit. Il y a un bistro un peu plus loin du côté de Duroc, le François-Coppée.

Nous avons marché sans parler jusqu'au coin de la rue de Sèvres et du boulevard du Montparnasse. Nous nous sommes installés dans l'arrière-salle du café — un coin calme et vide. Le type avait des cheveux aussi gris que le manteau qui enveloppait sa grande carcasse. On eût dit qu'il se complaisait avec recherche dans cette couleur : chemise, costume, jusqu'aux chaussures, tout était gris. Pour faire contraste, la cravate était de tricot rouge vif, le tout laissant une impression de dandysme attardé, renforcée par les traits du visage. Maintenant que je l'observais, alors qu'il commandait deux express, je croyais deviner quelque chose d'un peu vain dans l'œil et le sourire. Il avait la manière coquette de ces « jeunes premiers » d'autrefois qui, ayant vieilli, s'évertuent tout de même à porter beau. On les imagine longtemps penchés sur leur miroir, préoccupés de maintenir le rôle qu'ils avaient mis une vie à composer, désormais nostalgiques de leur séduction et tentant de l'entretenir encore.

Cependant, rapidement, le ton de sa voix et la franchise avec laquelle il souhaitait raconter son histoire l'emportèrent sur mon impression trompeuse. Il parlait avec candeur, à voix basse, comme à confesse.

2

« Tout juste à la fin des années quarante, j'ai été l'un des premiers à obtenir une bourse d'études pour un an dans une université des États-Unis, côte Est, à Boston. Bien entendu, je ne vais rien vous apprendre de ce que représente une telle occasion. Je vous ai lu. Je sais que vous avez également connu cela. J'ignore comment s'est passée votre traversée de l'Atlantique, mais en ce qui me concerne, elle a été marquée par une rencontre dont je me souviens encore aujourd'hui.

Dès le premier soir, à bord du *Queen Mary*, j'avais été frappé par la silhouette d'une jeune femme qui dînait à quelques tables de la nôtre. L'étrange couleur de ses cheveux semblait dominer la salle. Elle était accompagnée de deux adultes, ses parents sans doute. Nous étions quatre étudiants français, tous titulaires de la même bourse. Nous n'allions pas dans les mêmes campus. Nous étions enthousiastes et apeurés, pleins d'illusions et d'inquiétude sur notre avenir, et bien que nous ne nous soyons jamais rencontrés (nous ne venions pas des mêmes établissements universitaires en France), nous avions, dès le premier dîner, décidé d'une sorte de pacte de loyauté et de camaraderie. Les mousquetaires en partance pour le Nouveau Monde ! À mesure que ce dîner avançait, exaltés par notre aventure, notre jeunesse et cette extraordinaire plongée dans l'inconnu — un paquebot qui vous emmène vers l'Amérique à une époque où cela relevait du rêve éveillé —, nous perdions à une vitesse vertigineuse tout ce que notre éducation plutôt sage et convenue nous avait imposé. Nous parlions fort. Nous ne nous étions pas privés de commander une bouteille supplémentaire de champagne, sans réfléchir à l'effet que cela aurait sur nos maigres finances. Mais c'était le premier soir, l'euphorie, on a commencé à lancer des paris et l'un d'entre nous, je crois me souvenir qu'il s'appelait Frédéric, a dit :

— Qui sera assez culotté pour aller faire un compliment à cette jeune femme si belle, là-bas, à la table de gauche ?

Ceux qui tournaient le dos à la table en question ont pivoté pour voir de qui Frédéric parlait. J'étais assis face à ladite jeune femme et j'avais la sensation d'être en avance sur mes nouveaux amis, d'avoir déjà, un peu avant eux, pu mesurer l'allure singulière et l'aura de cette étrangère — car il ne pouvait s'agir que d'une étrangère. Son aspect, ses gestes, l'oscillation de sa tête et de ses épaules ne correspondaient pas à ce que je croyais connaître des Françaises que j'avais côtoyées pendant une adolescence timide et sans histoires sentimentales, sans amour.

— Écoutez, ai-je dit, j'ai eu plus que vous le temps d'admirer cette jeune femme pendant le dîner puisque je suis pratiquement assis face à elle. Je dois d'ailleurs dire qu'elle m'a lancé un regard qui n'avait pas l'air indifférent. Si vous le voulez bien, je considère que c'est à moi que revient l'honneur de relever ce défi.

Frédéric a dit :

— Bonne chance, vieux !

Je me suis levé et approché de la table. Il y avait ce couple d'adultes, et la jeune femme, vêtue de noir. Elle m'a regardé comme si elle me soumettait à un examen, l'œil perçant. Ce seul regard a amorcé en moi je ne sais quelle avidité, quelle curiosité. Elle avait des cheveux jaunes — vous allez me dire blonds ? —, non, non, je pèse mes mots et je précise : ils étaient d'un jaune éclatant, comme des fleurs de tournesol — un jaune qui aurait pu virer à l'orange.

— Je me permets de venir vous saluer, ai-je dit à l'adresse des deux adultes, car mes camarades et moi-même sommes impressionnés par la beauté de cette jeune femme qui, j'imagine, est votre fille. Il s'agit bien de votre fille ?

— *Could you say that in english, please ?* m'a dit l'homme, à l'allure corpulente.

J'ai répété ma phrase dans mon anglais d'étudiant — pas extraordinaire. Les deux adultes ont ri avec bienveillance et la jeune femme ne m'a pas fait signe de m'asseoir. Il n'y avait pas de chaise disponible. Debout, un peu embarrassé, je me suis présenté et, toujours dans mon anglais encore très hésitant, j'ai bredouillé des excuses pour cette approche un peu cavalière. Ce n'est rien, c'est très aimable, d'où venez-vous, où allez-vous, quelques phrases s'entrecroisèrent entre les parents et moi, tandis que la fille en noir continuait à me regarder sans parler et je croyais voir une lueur ironique et supérieure dans ses yeux. Au moment où je m'apprêtais à battre en retraite et à tourner le dos, elle a ouvert la bouche. Elle avait un accent que j'étais incapable de définir. Ma seule pratique de l'anglais s'était limitée à un séjour universitaire dans le Sussex en Angleterre, et je n'étais pas encore accoutumé à cette sonorité américaine que l'on peut trouver vulgaire et bruyante, nasillarde, mais qui m'a semblé, ce soir-là, pleine de mystère et d'exotisme. Elle parlait lentement, et bas, d'une voix un peu cassée.

— Ne partez pas comme cela, voyons, disait-elle. Mais puisqu'il n'y a aucun siège pour vous asseoir maintenant à notre table, venez donc me rejoindre après le dîner au bar. Nous prendrons un verre ou un café et ferons mieux connaissance.

Les deux parents n'ont pas paru surpris par la liberté de la proposition de leur fille. J'ai dû rougir. J'ai dit oui, et merci, et suis revenu vers mes amis, pas très modeste.

— Figurez-vous que j'ai rendez-vous au bar, avec elle, tout à l'heure, ai-je dit en reprenant ma place.

À peine cette phrase énoncée, j'ai senti que mes trois "amis" m'aimaient sans doute un peu moins, si tant est qu'il y ait jamais eu entre nous autre chose qu'une fausse complicité dans cette expédition commune vers l'Amérique. Au bar, j'ai attendu, attendu, attendu, elle n'est jamais venue. Ça m'a profondément frustré, plus que vexé. Ça m'a mis dans un curieux état. J'ai pensé à elle une partie de la nuit. J'ai pensé à sa robe, ses yeux vifs et sombres, son teint un peu mat, le sourire de dérision qu'elle avait décoché, ces curieux cheveux, cet accent, et j'ai, dès ce premier soir, fabriqué une sorte de fantasme, une manière d'obsession. Le lendemain, il a bien fallu que j'explique aux autres qu'elle ne s'était jamais présentée au rendez-vous. D'ailleurs, au petit déjeuner comme aux autres repas, nous n'avons plus vu réapparaître le couple et sa fille.

Cela n'a fait qu'attiser ma curiosité. J'ai interrogé le maître d'hôtel, à l'écart, afin d'éviter le regard des trois mousquetaires. Il m'a dit que les Marstembrister, car c'était leur nom, avaient décidé de prendre tous leurs repas dans leur suite — ce qui m'a appris deux choses : leur identité, bien sûr, et qu'ils occupaient une suite, tandis que nous étions logés dans de modestes petites cabines individuelles, dans les ponts en dessous. Alors, tandis que les autres jouaient au palet, ou s'installaient face à l'océan, faisaient connaissance avec d'autres passagers, intriguaient pour obtenir de bonnes places dans les bons transats, allaient suivre un cours de danse, j'ai commencé mon enquête. Je me perdais dans les coursives, j'allais d'un pont à un autre, je posais des questions, le personnel me répondait qu'on n'avait pas le droit de donner le nom ni les numéros des suites de passagers. Cela m'irritait.

Au troisième soir, j'ai trouvé un mot à mon attention, glissé sous la porte de ma cabine : "Veuillez donc me rendre visite quand vous voudrez, ce soir. Suite 29. Pont 1." Mon cœur battait. Je venais de rentrer de dîner, il était vingt et une heures trente. La courte lettre se terminait ainsi :

Quelqu'un a écrit un jour : "Un paquebot, c'est une mauvaise comédie entourée d'eau." Voyons si vous êtes capable de jouer la vôtre et avec qualité. À tout à l'heure... Blackbird.

J'en étais, comment dire, tout retourné, exalté et intrigué, gonflé de vanité, agité, mais déjà dominé, puisque ce ton et cette invitation indiquaient une volonté de diriger les choses. Avant même de revoir la fille aux cheveux jaunes, j'étais tombé sous son emprise, mais je n'en étais naturellement pas conscient. C'est avec l'âge et le recul et quelques expériences que l'on peut se rendre compte de ce qui, à l'époque, j'avais tout juste vingt ans, semblait peu compréhensible, mais terriblement séduisant. Au point que cette séduction ôtait, comme c'est souvent le cas, toute possibilité d'une quelconque réflexion. Et puis, que voulez-vous, avoir signé ce court message : "Blackbird" (oiseau noir, oiseau de nuit) ajoutait du mystère à ce qui devint, soudain, un désir brutal.

Je n'avais pas accédé à la suite 29 au pont supérieur, celui des suites les plus luxueuses, qu'il m'était venu une émotion et une tension d'ordre purement sexuel. Cela ne m'était jamais arrivé avec une telle soudaineté à l'égard de quelque personne entrevue une seule fois. Je ne connaissais rien, ou presque, des femmes. Je vous parle d'un temps, monsieur, où l'on perdait sa virginité plus tard qu'aujourd'hui et où le fils unique de petits-bourgeois, pudique et brillant en études, innocent de la vie, ignorait tout, ou presque, des relations humaines. Mais je savais ce qu'est une érection aussi violente.

C'est dans un tel état que j'ai frappé à la porte de la suite et il fallut quelque temps avant qu'elle ne s'ouvre. La jeune fille m'a paru encore plus éblouissante que la première fois. Elle portait une robe de chambre de soie d'un noir étincelant, plus électrique que le tissu de sa tenue lors du dîner. Sous la robe, on pouvait deviner la veste et le pantalon d'un pyjama d'homme, d'un blanc immaculé, contraste frappant. Je suis resté muet devant une telle élégance. Elle a ri.

— Pourquoi me dévisagez-vous ainsi ?

J'ai bredouillé :

— Vous êtes belle.

Elle a cessé de rire.

— Vous devriez faire en sorte de trouver mieux que cela. Venez vous asseoir.

Je l'ai suivie dans une sorte de salon, avec canapé et deux larges fauteuils séparés par une longue table basse. Elle s'est installée de l'autre côté, croisant ses jambes, passant régulièrement une main dans ses cheveux. Il y avait deux verres sur la table, un flacon rempli d'un liquide incolore.

— Un peu d'eau russe, peut-être, m'a-t-elle dit en poussant le flacon vers moi.

J'ai froncé les sourcils. Elle a soupiré :

— Eh bien oui, voyons, "l'eau russe" c'est de la vodka ! Seriez-vous donc encore plus ignare que je l'imaginais ? Pardon, je ne voulais pas vous blesser.

Elle versait la vodka dans mon verre, penchée vers moi, ses cheveux jaunes dissimulant son visage. Je pouvais sentir son parfum, aussi exotique à mes sens que tout ce qu'elle représentait, tout ce qu'elle était. Elle a rejoint son fauteuil. Je parlais peu. Elle semblait aimer posséder la scène à elle toute seule.

— Vous ne devez tout de même pas être aussi maladroit que cela, puisque vous avez eu le culot de venir me faire votre compliment à notre table, l'autre soir. Il doit y avoir une vraie réserve d'audace et de folie en vous, mais personne jusqu'ici n'a ouvert la porte de ce trésor. Je me trompe ?

— Je ne demande qu'à vous croire.

Elle savait flatter, sa rouerie désarçonnait mais la rendait plus attirante. Elle s'installa au fond du fauteuil, croisant et décroisant les jambes que je devinais fines sous le pantalon de soie blanche. Mon désir augmentait avec l'échange. J'en étais presque embarrassé, cherchant à masquer mon envie de l'approcher et la toucher.

— Parlez-moi de vous, dit-elle. Que faites-vous sur ce bateau ? Être dans un bateau, c'est être dans une prison qui risque de couler. D'où venez-vous, votre famille, votre éducation ?

L'originalité de ses propos m'a surpris et l'aisance avec laquelle elle menait sa petite danse m'a, en partie, décontracté. Je lui ai raconté la bourse d'études, esquissé ma propre vie en quelques phrases, me suis autorisé à l'interroger à mon tour.

— Quel est votre prénom ?

Elle avait l'astuce de ces gens qui, à une question, vous répondent par une autre. Elle m'a dit :

— Qu'attendez-vous de moi, au juste ?

J'ai rougi.

— Il m'est impossible de vous répondre.

Elle a éclaté de rire.

— Comment ça ? a-t-elle dit. Seriez-vous trop bien élevé ? Vous ne croyez pas qu'il se voit, votre désir ? Vous croyez qu'un homme peut dissimuler son envie d'une femme ? Vous ressemblez à un enfant affamé. Vous avez faim d'amour, c'est cela, pourquoi ne pas le dire ? En fait, ce n'est pas d'amour dont vous avez faim... Vous avez faim de sexe. J'ai l'habitude de susciter ce genre de réaction chez les hommes.

J'étais de plus en plus incapable de lui donner la réplique. Je n'avais jamais fait face à une telle franchise, une telle provocation. D'ailleurs je me demande si, à cette époque, beaucoup de jeunes filles — ou de femmes, plutôt — auraient eu l'audace de s'exprimer ainsi. Mais je ne pouvais établir de comparaison ou confronter cette rencontre à d'autres expériences passées puisque, je vous le dis encore une fois, j'étais aussi dépourvu de références qu'un bébé qui sent percer sa première dent. Il me semble que, avec une intuition qui me paraissait diabolique, la jeune femme en noir et blanc avait tout deviné de ma naïveté, ma quasi-virginité. Elle avait élevé la voix, dressant ses bras en l'air.

— Mon Dieu, quelle chance vous avez ! Vous n'avez pas encore subi une seule fois les affres de l'amour ni goûté aux sortilèges du sexe. Connaissez-vous seulement ce qui se cache derrière les mots hypocrisie, passion, infidélité, mensonge, extase et néant après l'extase, invective, rancune, jalousie, solitude, gaspillage, frivolité, vérité, mépris, transgressions et vengeance ? So-li-tu-de ! Que savez-vous donc de tout cela ? Quel est le sens des sentiments ? Quel est le sens des sens ?

Son débit s'était fait excessif, presque hystérique. La rapidité avec laquelle elle avait jeté ces mots interdisait toute interruption, tout dialogue. Elle s'arrêta, but son verre de vodka d'une seule traite. Elle me lança un regard vif et amusé, scrutateur comme celui d'un petit faucon au vol rapide. J'aurais eu peur si je n'avais pas simultanément éprouvé la sensation de vivre un moment unique, attiré comme je l'étais par sa capacité déconcertante à passer de l'ironie à la langueur, de l'intime à la distance.

— Je vous choque, peut-être ?

Il fallait faire face. La vodka m'aidait un peu, je pouvais entrer dans son jeu de question à question et je me découvrais capable d'aplomb, voire d'impertinence. Puisque cette jeune femme brisait tous les tabous de la bienséance, je n'avais qu'à suivre sa musique. Je lui dis :

— Vous avez quel âge pour parler ainsi, miss Marstembrister — et d'ailleurs, comment puis-je vous appeler ?

— Parce que vous connaissez mon nom de famille ? Ah bravo ! C'est bien, ça — c'est bien. Vous avez fait votre petite enquête. Très bien. Figurez-vous que je dois avoir à peu près le même âge que vous. La différence, n'est-ce pas, c'est que je suis déjà *jaded.*

— Pardon ? Je ne connais pas cette expression.

— Vous ne me semblez pas connaître grand-chose, mon pauvre ami. *Jaded,* ça peut vouloir dire blasé, désabusé, usé, déjà poli et lavé par le temps, comme du jade. Cette pierre balayée par les épreuves. Être *jaded* veut dire que l'on n'appartient plus au monde des innocents. Ainsi, votre page est blanche, pas la mienne, pas les miennes. Je m'appelle Gladys mais, comme je déteste ce prénom, vous ne me connaîtrez que sous le sobriquet de "Blackbird".

Elle s'est levée et s'est dirigée vers un phonographe — vous vous souvenez ? Un de ces merveilleux appareils qu'on ne trouve plus aujourd'hui que chez les antiquaires. Il y avait déjà un disque sur le plateau. Elle a saisi le bras en acier, avec l'aiguille au bout, et, avant de le poser sur la galette, elle s'est retournée vers moi — tout cela avait, comment dire, quelque chose de théâtral.

— Je vais vous faire entendre mon hymne, ma chanson favorite, la chanson de ma jeunesse flétrie. *Bye Bye Blackbird.* Ça ne date pas d'hier et je l'ai découverte pendant mon adolescence. Je l'ai aimée jusqu'à l'obsession. Et puis il y a ce titre, je me suis identifiée à l'oiseau noir, à qui l'on dit au revoir.

Écoutez ça, je l'adore, ce n'est rien, ce n'est jamais qu'une petite ritournelle, mais c'est beau parce que c'est triste. Tout ce qui est beau est forcément un peu triste.

Tandis que les premières notes se faisaient entendre, elle s'est assise, a rempli son verre de vodka. J'ai alors reçu cette mélodie, ou plutôt ce blues, parce qu'il s'agit d'un blues, à l'origine — même si, bien souvent, de très nombreux artistes l'ont interprété chacun à sa manière. (On m'a signalé qu'un certain Joe Cocker en a fait une version rythmée, percutante, avec des chœurs de femmes. Je l'ai entendue, c'est bien. Mais pour moi, ça ne vaudra jamais l'original.) Paroles insignifiantes, mélancolie du jazz d'autrefois, ce que vous étiez en train de siffler tout à l'heure sur le trottoir, monsieur, et qui n'a cessé de m'habiter :

Pack up all my care and woe,
Here I go,
Singing low,
Bye bye Blackbird.

Ce sont surtout les autres phrases du couplet qui sont importantes. Ai-je besoin de vous les traduire ? Elles sont aussi caractéristiques en français qu'en anglais :

Personne ici ne peut m'aimer et me comprendre,
Oh ! Quelles histoires d'infortune ils m'ont tous
  servies,
Prépare mon lit et allume la lumière,
Je rentrerai tard ce soir,
Bye bye Blackbird.

Elle fermait les yeux et fredonnait ces paroles en même temps que nous écoutions le disque. Debout, le corps oscillant légèrement de gauche à droite et de haut en bas, à côté du phonographe. Je voyais ses lèvres s'ouvrir et se fermer au son des "*Bye bye Blackbird*". Le disque s'est arrêté. Elle a tout de suite soulevé le bras pour remettre l'aiguille dans le sillon de départ afin que je puisse à nouveau me pénétrer de son "hymne". À la fin, elle a tourné le dos à l'appareil et elle m'a toisé. Elle avait un air grave, un ton un peu sépulcral.

— On ne choisit rien, m'a-t-elle dit. Et rien n'est impossible, sauf de refuser la mort. Et tout est possible, mais rien n'est important. Tout est fatal.

Un silence a suivi. Elle s'est rassise, a repris sa voix enjouée et allumeuse, au rythme du croisement et décroisement de ses jambes.

— Vous ne dites rien ?

— Si, si, c'est une belle chanson.

— Non, je ne parlais pas de ça. Vous avez lu Nietzsche un petit peu, quand même ? "Rien ne vaut rien, il ne se passe rien, cependant tout arrive, et c'est indifférent."

— Oui, ai-je répondu, je connais. C'est une belle formule, mais je n'y crois pas. Ou, plutôt, je refuse d'y croire.

— Eh bien moi, si !

Autoritaire, péremptoire, puis rupture de ton et moqueuse :

— Bon, vous n'avez plus de questions indiscrètes à me poser ?

— Que vous ai-je dit d'indiscret ?

— Vous m'avez demandé mon âge. Savez-vous que ça ne se fait pas du tout, ces choses-là ? On ne demande pas son âge à une jeune fille de la bonne société. Vous avez toutes les excuses, dont celle de votre attendrissante ignorance de tout.

J'ai trouvé qu'elle jouait trop avec moi, même si j'aimais ainsi subir et être fouetté, embarqué dans son système. Avec un rire un peu forcé, j'ai dit :

— Je vous demande pardon, mais je n'arrive pas à croire qu'on puisse, dans la vie quotidienne, se faire appeler "Blackbird". Ce n'est pas très pratique : "Tu peux me passer le pain, Blackbird ?", "Quelle heure est-il, Blackbird ?". Ça sonne faux, votre affaire. Ça ne marche pas, votre histoire.

Elle a levé son pouce en l'air pour souligner que j'avais marqué un point, et ce geste m'a plu. En vérité, tous ses gestes me plaisaient. C'était une Américaine, une étrangère, aucun de ses actes ne m'était familier. Tout ce qui, chez elle, la différenciait de mes compatriotes la rendait encore plus fascinante. Je n'étais pas seulement séduit par son discours, ses aphorismes fatalistes à consonance nietzschéenne, et par tout ce que je pouvais imaginer d'un passé mystérieux et sans doute semé de désillusions amoureuses. C'était aussi, et peut-être surtout, sa façon de faire danser son corps, son port de tête, les envolées de ses mains, toute sa personne, jusqu'à sa peau, qui me captivait. J'étais pris, j'étais ferré, il n'avait pas fallu longtemps pour que son hameçon me perce et m'attrape. Elle a répondu :

— En effet, mais comme j'ai insisté pour imposer ce sobriquet, alors mes parents, mes amis de collège, mes amis, voire mes amants, se sont résolus à l'abréger : "Blackie". Voilà comment vous pourrez vous adresser à moi, si je décide de vous revoir. Car maintenant il se fait tard, et il est temps que vous retourniez à votre cabine, tout seul, avec vos rêves. Je n'ose imaginer lesquels.

Nous nous sommes levés et elle m'a devancé pour me raccompagner jusqu'à la porte de sa suite. Je la suivais en admirant l'ondulation de ses cheveux jaunes et son déhanchement dans la robe de chambre de soie noire. Sur le seuil de la porte, elle s'est retournée vers moi. Je lui ai demandé si je pouvais la revoir.

— Vous en avez tellement envie ?

Sa suffisance moqueuse m'avait vexé. J'ai voulu répliquer.

— Et vous ? Après tout, comment avez-vous su mon nom et mon numéro de cabine afin de m'y faire porter votre mot ?

Elle a pris une allure quasi maternelle.

— Allons, allons, jeune homme, vous devriez savoir qu'avec un peu d'argent on achète n'importe quelle information. Ça ne coûte pas très cher, un garçon d'étage. Rien ne coûte cher, en vérité, quand on a de l'argent.

Puis elle s'est avancée et a doucement plaqué sa poitrine contre moi.

— Embrassez-moi, a-t-elle chuchoté. Embrassez-moi avant de me quitter, dites bye bye au "Blackbird" de façon adéquate.

Je pouvais sentir son corps sous la soie, touchant le mien sans bouger, j'en étais comme paralysé, dans un état d'excitation plus fort que pendant toute notre entrevue. Elle l'avait aisément perçu et s'est reculée de quelques centimètres, avec un sourire que je n'avais jamais vu sur aucun visage. J'aurais du mal à le définir encore aujourd'hui, celui d'une femme très adulte, déjà revenue des choses du sexe, avertie, rouée. Était-ce donc cela qu'elle avait voulu dire avec ce mot, *jaded* ?

— Eh bien, dites-moi, a-t-elle murmuré, quelle vigueur dans ce pantalon ! Mais dans quel émoi êtes-vous tombé ?

J'ai posé prudemment mes lèvres sur les siennes, encore humectées par la vodka, mais elle n'a pas ouvert la bouche et, lorsque j'ai voulu l'enlacer et rapprocher un peu plus mon visage du sien, elle m'a repoussé avec la même suavité dont elle avait usé pour se frotter contre moi. C'était comme une caresse et une demande données, puis aussitôt reprises.

— Ça suffit, a-t-elle dit, nous avons assez joué. N'essayez pas de me revoir, vous n'y trouveriez que du malheur.

La porte de la suite s'est vivement refermée et je n'ai pas bougé, un long moment, adossé à la paroi intérieure de la coursive. J'étais interloqué, convaincu que je venais de vivre quelque chose d'exceptionnel et que je ne pouvais en rester là. Ça ne pouvait pas s'arrêter ainsi. Au retour dans ma petite cabine des ponts inférieurs, je n'ai pas pu fermer l'œil. Je revivais chaque minute de ma présence dans la suite 29, je tentais de me remémorer chacune des phrases de "Blackie", ses saillies et ses emportements, le sens qu'il fallait donner à son attitude, changeante et immuable, et la chanson tournait dans ma tête. Je n'avais pu retenir toutes les paroles, seules me revenaient celles qui me semblaient les plus significatives : "Personne ici ne peut m'aimer et me comprendre…" J'ai décidé, incapable de m'endormir, de tout noter sur un gros cahier à spirales, format écolier, que j'avais acheté avant de quitter Paris pour Le Havre, afin de tenir un journal à l'intention de mes parents. Mais je savais bien que ce que je retranscrivais minutieusement n'aurait aucun lecteur. Je le faisais parce que je me disais que j'en avais plus appris en une nuit que depuis que j'étais devenu ce qu'on appelle un homme — sinon un adulte. Et puis je comptais, en relisant le déroulement de ma rencontre avec le "Blackbird", suffisamment comprendre les méandres de son esprit et déchiffrer sa personnalité pour pouvoir, si je devais la revoir, être à la hauteur du défi qu'elle lançait et ne plus me comporter comme un béjaune. Quant à mon désir sexuel, je n'ai pu l'apaiser que d'une façon que la pudeur me retient de décrire, mais que vous n'aurez aucun mal à imaginer. Vous me trouvez sans doute terriblement impudique. »

3

— Mais non, ai-je dit, vous n'êtes pas du tout impudique. Je comprends.

Il s'était sans doute passé une heure depuis que l'homme gris avait entrepris de me raconter le « Blackbird ». J'avais envie de connaître la suite ou la fin, ou les deux, mais il me fallait l'abandonner. Je n'avais pas vu filer le temps. On m'attendait ailleurs. Je n'avais pas anticipé une telle abondance de paroles, un tel roman, en vérité. À plusieurs reprises, en l'écoutant, en voyant revivre dans ses yeux d'homme âgé cette initiation à la perversion, ce début de perte d'innocence en une nuit sur un navire transatlantique, j'avais pensé que cela permettrait de donner matière à une nouvelle, un jour. Et puis je ne pouvais m'empêcher d'établir des comparaisons.

Ma propre traversée vers l'Amérique, comme étudiant boursier, quelque six ou sept années plus tard, à bord du même vaisseau de la Cunard Line, le *Queen Mary*, première version — l'authentique fierté de la Couronne britannique —, s'était déroulée de façon plus plate. Je n'en ai conservé qu'un souvenir partiel et flou — des bribes, des instants, sinon deux moments forts qui ne s'oublient pas : le départ et l'arrivée. Pour le reste, ma mémoire, que j'ai l'illusion de croire bonne, me fait défaut. Le soleil, le ciel, le silence curieux et faux de l'océan puisque ce mastodonte flottant évoluait dans une sorte de torpeur douce, qui m'endormait fréquemment, j'étais porté par son rythme lourd et lent, puissant, ce bourdonnement que recouvrait le son des vagues qui se fendent sous le passage de la bête d'acier, et que l'on ressentait au mieux lorsqu'on se tenait sur le pont, face au bleu, au noir, au gris, à l'argent, face au large — j'y restais pendant le plus gros de mes journées, soit en déambulant de bâbord à tribord, soit engoncé dans une chaise longue, coupé du réel, et il ne survenait rien, mais c'était envoûtant. Des jours privés de toute activité sérieuse, comme un gouffre entre deux mondes — celui que vous avez quitté et celui qui vous attend et dont vous ne savez rien. Une vacuité oisive qui, à mesure qu'on se rapprochait de l'autre continent, se transformait en une angoisse impossible à partager — avec qui ? On ne pense qu'à une chose : que vais-je trouver là-bas, à New York ? Qui serai-je, qui deviendrai-je, que m'arrivera-t-il ? J'avais vécu cela dans un mélange d'insouciance, d'espoir indéfini, d'interrogation parfois effrayée, et parfois hilare. De temps en temps, comme ça, pour rien, j'étais atteint d'une sorte d'euphorie et je me surprenais à éclater de rire tout seul, au grand étonnement des passagers que je croisais. Mais je n'avais fait aucune rencontre importante et encore moins celle d'un personnage si romanesque, aussi exceptionnel, que celui dépeint par mon interlocuteur.

Je me suis dit qu'il m'avait livré une sorte de fantasme — tout ce que, au fond, moi, jeune homme à peine sorti de l'adolescence, j'aurais rêvé qu'il m'arrivât. En suivant son compte rendu, je m'étais demandé quelle part d'embellissement, quelle déformation, transformation il ajoutait à un épisode qui datait de plus d'un demi-siècle dans son existence. Sa précision dans les détails, les descriptions et les dialogues, m'avait étonné. Je crois, cependant, qu'il n'inventait rien. Kertész a écrit qu'inventer, en fait, c'est se re-souvenir. James Carroll l'a encore mieux défini : « La mémoire, a-t-il écrit, c'est la faculté grâce à laquelle les êtres humains interprètent l'expérience. Se souvenir, c'est réinterpréter. »

— Je regrette, ai-je dit à l'homme en gris, je suis contraint de vous abandonner. Mais vous me devez la fin de votre affaire. Pouvons-nous nous retrouver demain, et pourquoi pas ici, à la même heure ? J'ai hâte de connaître la suite, car je suppose qu'il y en a une.

— C'est convenu, cher monsieur. J'ai tout mon temps. Voilà longtemps que je ne fais plus rien de mes journées. Je vous attendrai à cette même table.

Je suis sorti du François-Coppée et j'ai repris la rue de Sèvres en direction du carrefour Raspail, en oubliant de m'arrêter à la boulangerie vers laquelle j'avais marché quelques heures plus tôt. J'étais trop occupé par la mélodie de *Bye Bye Blackbird* qui tournait dans ma tête. Je me suis demandé pourquoi cet air m'était venu à l'esprit — pourquoi donc l'avais-je sifflé d'un seul coup, comme ça ? Parce qu'un passant anonyme qui s'avançait vers moi en était, lui-même, habité et hanté ? S'agissait-il d'un phénomène d'ondes ? Il paraît que ces choses-là arrivent.

4

L'homme était assis sur la même banquette, dans la même position qu'il avait adoptée la veille, penché sur une tasse de café, la mèche de ses cheveux gris et blanc flottant sur les rides contradictoires de son front large.

Il portait les mêmes vêtements entièrement gris, mais la chemise et la cravate avaient changé : rose indien — touche supplémentaire de ce dandysme que j'avais cru observer chez lui. Il m'accueillit d'un sourire complice comme si nous appartenions à je ne sais quelle confrérie secrète — les adorateurs du « Blackbird », peut-être. Je n'avais pas eu le temps de commander à boire qu'il se mit à reprendre son récit. L'avait-il préparé la veille, l'avait-il déjà narré à d'autres ? Il ne me donnait pas l'impression, pourtant, de faire du « par cœur », pas plus qu'il ne paraissait improviser au fur et à mesure. Qu'importe : c'était un très bon conteur.

« Le lendemain matin, je me suis retrouvé pour le breakfast à la table qui nous avait été assignée depuis le début de la traversée. Celle des Marstembrister était occupée par d'autres gens. J'avais appris que les locataires des suites de luxe avaient droit, sur un autre pont, à une salle à manger plus exclusive. Pourquoi, dès lors, s'étaient-ils assis près de nous au premier soir ? Erreur de placement sans doute, élément inconnu... La main du hasard — celle qui m'avait permis de rencontrer "Blackie". Vous croyez au hasard ? Moi, je ne crois qu'à cela — il paraît que le mot vient de la langue arabe : *az-zahr*, qui veut dire le jeu de dés.

Frédéric m'a dévisagé. Il s'est exclamé :

— Eh bien, dis-moi, qu'est-ce qui t'est arrivé ? D'où sors-tu ? Tu as des cernes de noceur, tes yeux sont tout rouges.

J'ai fait le fanfaron.

— C'est que j'ai retrouvé la jolie jeune fille de l'autre soir. Enfin, la jolie femme plutôt, car le mot jeune fille n'est pas vraiment approprié pour ce genre de personne.

Frédéric a voulu en savoir plus et j'ai cédé à la tentation de l'affabulation, laissant entendre qu'il s'était passé des choses très agréables. À l'instant même où je le faisais, je me suis rétracté. Je n'étais pas — du moins pas encore — aussi prétentieux que peuvent le devenir les hommes lorsqu'ils évoquent leurs aventures amoureuses, vraies ou imaginées. La vanité vient avec l'âge, et plus leurs échecs s'accumulent, plus certains hommes trafiquent avec la vérité, quand ils ne la trahissent pas du tout au tout. En matière de séduction, nous sommes aisément des mythomanes. Mais je ne savais pas mentir, la vie ne m'avait pas encore appris cette indispensable méthode de progression dans la comédie humaine.

— Excusez-moi, je vous raconte des blagues, ai-je tout de suite rectifié. En réalité, ma nuit n'a pas été très bonne.

J'ai cru voir un soulagement se lire sur le visage de Frédéric. Quant aux deux autres, Jean-Jacques et Michel (je me souviens de ces prénoms parce que je me souviens de tout de ce voyage, tout ! — même si je n'ai eu que des nouvelles épisodiques d'eux au fil des années. J'ai dû les revoir une ou deux fois lors d'une réunion d'anciens boursiers, quand ils étaient devenus des hommes mûrs, sans intérêt aucun), ils manifestaient une légère indifférence à l'égard de mes absences. Je ne les avais plus guère fréquentés, sauf aux heures des repas, depuis que je m'étais lancé à la recherche de la fille aux cheveux jaunes. L'esprit des mousquetaires du premier soir s'était dissipé, en grande partie par ma faute. Ils ne m'en voulaient pas trop, mais leur regard n'était plus le même. Je croyais qu'il s'agissait de jalousie, alors que je pense plutôt qu'ils m'avaient considéré avec un semblant de mépris. Ils étaient de braves garçons, néanmoins, bien élevés, et Michel m'a fait promettre que, quelles que soient ce qu'il appelait avec une pointe de condescendance mes "activités de Don Juan du *Queen Mary*", je me retrouverais à leurs côtés le matin de l'arrivée sur New York.

— C'est un moment unique dans la vie, mon vieux. Tout le monde nous le dit. C'est important. Les gens ne parlent que de ça. Il faudra se lever tôt, quatre heures du matin, d'après un steward. On ne peut pas rater ça : la première vision de New York, tu te rends compte ? J'ai entendu des Anglais, tout à l'heure, qui se proposaient de réserver un espace sur le pont avant — mais ils n'ont pas le droit, c'est impossible, tout ce qu'il faut c'est arriver très tôt. On est tous d'accord ?

— Bien sûr, ai-je affirmé. Ne vous en faites pas, on y sera tous ensemble, et moi avec vous. Je suis aussi impatient que vous.

Ce n'était pas tout à fait exact. Ma véritable impatience s'exerçait au sujet de "Blackie". Le "Blackbird". La revoir ! Cela m'avait travaillé. J'avais peu dormi, j'avais réfléchi, je me disais qu'après tout j'avais dû suffisamment l'intéresser puisqu'elle m'avait convoqué et provoqué. Il y avait eu aussi ce baiser, quand même ! En outre, je refusais de jouer plus longtemps le rôle du nigaud qu'elle avait fait tourner au bout de son doigt. Je n'étais pas dépourvu d'armes, je n'avais pas fait d'études pour rien, je n'avais pas été un brillant étudiant en "Lettres" pour apparaître aussi pauvre que la veille devant ses réflexions et ses piques. Si elle voulait jouer avec Nietzsche, je m'en croyais capable. En même temps, je me sentais à nouveau gagné par l'envie de son corps. J'avais vu et revu cent fois, couché dans le lit de ma cabine, les yeux au plafond, le souple mouvement de ses jambes dans le pyjama blanc, la façon dont elle s'était collée à moi pour s'en détacher, et j'avais le souvenir de ses lèvres humides. La sensualité du personnage prenait le pouvoir sur toute autre pensée. J'en devenais "marteau" — cette belle expression qui n'a plus du tout cours, aujourd'hui :

> Je l'ai tellement dans la peau,
> J'en suis marteau…

Je découvrais la force de l'obsession amoureuse. On ne pense qu'à elle, on en devient non seulement marteau mais idiot, prisonnier de son idée fixe. Rien d'autre ne compte, le temps n'est plus le même.

Alors, je saisissais le bloc de papier à lettres aux armes de la Cunard Line posé sur la petite tablette face à mon lit et je rédigeais quelques lignes que je relisais, je les trouvais insipides, balourdes. Je raturais, je déchirais, je froissais. Le sol de la cabine était bientôt jonché de feuilles de papier roulées en boule. Rien de ce que j'avais écrit ne me semblait digne d'elle, de son esprit, sa faculté de dérision, et ce que je croyais deviner de son savoir-faire amoureux — ce que je croyais comprendre de ce fatalisme qui me subjuguait. Qu'avait-elle vécu pour être ainsi *jaded* ? Combien de fois avait-elle été trompée par les hommes ou, a contrario, combien d'hommes avait-elle manipulés, floués, ridiculisés ? J'ai fini par me satisfaire d'un texte qui me paraissait convenir aux circonstances :

Il ne me reste qu'une journée de traversée pour mieux vous admirer et vous entendre. Il ne vous reste qu'une journée pour continuer à vous rire de moi. Et si ce n'est une journée, alors, une nuit ? La pierre de jade la plus lisse qui soit n'est rien en comparaison de votre mystérieuse beauté. Souffrez que je puisse à nouveau la revoir et vous convaincre du non-sens de la chanson : "No one here can love and understand me." *Si ! Blackie ! Il y a quelqu'un, à bord de ce bateau, qui peut vous aimer et vous comprendre. Je suis à votre disposition à n'importe quelle heure.*

Je n'étais pas trop mécontent de ma prose. C'était un peu alambiqué, j'en conviens, mais dans ma nuit blanche, obnubilé que j'étais par l'inconnue qui avait tellement désorganisé ce que je croyais être mon ordre intérieur, je trouvais que je ne m'en sortais pas trop mal. Après m'être relu, avoir plié la lettre et l'avoir soigneusement mise dans une enveloppe, je me suis rasé, habillé, et j'ai franchi coursives et grimpé étages pour atteindre le palier et le couloir des suites. J'ai glissé le mot sous la porte de la suite 29. J'avais l'impression de commettre un acte dangereux. Il était très tôt, bien avant l'heure du petit déjeuner. Un silence, déjà habituellement lourd, à l'exception du roulement continu des flots auquel on ne prêtait presque plus attention, régnait dans la longue coursive. J'ai failli coller mon oreille sur la porte dans l'espoir de capter n'importe quel bruit venu de celle dont je subissais l'influence. J'ai renoncé. Il était évident qu'elle dormait encore et je ne voulais pas risquer d'être surpris par un membre de l'équipage.

Je suis redescendu et j'ai attendu que le *breakfast time* survienne, étendu sur la couchette, habité par une seule image et une seule pensée.

Il faisait beau ce matin-là. Nous sommes partis tous les quatre après le petit déjeuner sur le pont pour regarder l'océan. Michel a dit :

— Je vous propose quelque chose : faisons un tour entier du paquebot, calmement, pour bien nous pénétrer de ce que nous vivons et surtout de ce que nous allons vivre, passons toute la journée ensemble, on saluera les filles, les touristes. Ne nous quittons pas. On jouera au palet, on parlera avec les Anglais, on félicitera le capitaine, s'il accepte de nous recevoir.

Ils ont approuvé et je les ai suivis mais, rapidement, j'ai pensé : "Et si Blackie répond, à peine ma lettre ouverte et déchiffrée, si elle fait déposer un message dans ma cabine, je n'en saurai rien ! Je ne peux pas les suivre. Il faut que je rejoigne ma cabine." Et puis, contradiction : "Tu ne vas tout de même pas te mettre à attendre toute la journée que cette jeune femme te fasse signe !" J'étais partagé et soucieux, indécis, irrité, et je me sentais prisonnier d'une loi, d'une autorité qui ne vous laisse aucune chance de recouvrer votre libre arbitre. J'ai eu recours à un stratagème absurde : je quittais les copains presque toutes les heures, prétextant un malaise intestinal pour m'absenter quatre ou cinq fois et vérifier si l'on m'avait répondu. Une telle tracasserie a pourri toute notre balade. Je m'en voulais. Les autres ne comprenaient rien à ma mine contrite, à mes "pardon, il faut que je vous laisse un instant" et tout cela pour faire chou blanc, à chaque fois, et ne rien trouver sous ma porte. Aucune missive. Je gâchais totalement la fin du voyage. "Blackie" avait éparpillé toutes choses, comme un coup de vent inattendu qui renverse un vase de fleurs sur une table. Elle avait fait plus : j'étais devenu sa toupie, sa girouette, tant que je n'aurais pas de ses nouvelles, je m'agiterais ainsi dans des allers et retours risibles, car ensuite, quand je revenais bredouille et qu'il me fallait rattraper les autres qui ne m'avaient pas attendu, j'étais contraint d'accélérer le pas, de les chercher là où ils n'étaient pas, demander à tel garçon de cabine s'il n'avait pas vu les "trois Français" — bref, un pantin, à peine conscient du grotesque de son comportement, désireux de répondre à la proposition de Michel, mais incapable d'oublier "Blackie". Je ne pensais qu'à elle. Je me construisais toutes sortes d'histoires à son sujet.

J'imaginais qu'elle avait dû faire des ravages équivalents lors de son séjour en Europe et qu'elle avait joué avec d'autres hommes comme avec moi, et je les jalousais sans même connaître quoi que ce fût de son passé. Je pensais, aussi, qu'elle voulait peut-être se venger, à travers moi, d'un ou plusieurs de ces hommes dont certains l'avaient fait souffrir, l'avaient peut-être menée au bout de leur laisse. Mais s'agissait-il de plusieurs hommes ou d'un seul ? Si oui, je me torturais à imaginer le type, ce dominateur capable de dompter la dominatrice. Quel genre d'homme pouvait-il être ? Qu'est-ce qui, chez lui, avait fait de ma dominatrice une victime asservie ? À quoi ressemblait-il ? Je l'envisageais comme mon contraire : plus vieux, plus massif et carré, plus madré, plus sûr de sa virilité, un *hombre*... À l'heure du déjeuner, Frédéric me prit à l'écart.

— Mon pauvre vieux, tu es dans un état lamentable, tu ne te vois pas, ta fébrilité, tes absences, tes yeux perdus dans le vague, je ne sais pas ce que t'a fait cette fille mais il est temps que tu te reprennes — ou alors, va te coucher et arrête de te donner en spectacle. Les copains en rigolent sous cape. Un peu de dignité, mon petit vieux.

— T'as raison, je vous laisse.

J'ai erré sur les ponts vides à cette heure-là, car la plupart des passagers se restauraient. J'avais, quant à moi, perdu l'appétit et j'ai tenté de réfléchir. Il était en train de m'arriver en quelques jours du voyage transatlantique, lors de mon grand départ dans la vie, une séparation de mes habitudes, routines et racines, ma famille protectrice, plus d'émotions, de sentiments et de secousses qu'au long de mes années d'études et de vie sans heurts à Paris. J'étais le fils unique d'un couple, le père dans la fonction publique, la mère aide-soignante, qui m'avaient élevé dans un système honorable de valeurs bourgeoises. Je n'avais rien vécu d'exceptionnel dans mes amitiés, mes vacances, mes séjours en Angleterre, j'avais été timide et prudent avec quelques jeunes filles. La seule véritable histoire avait été un flirt poussé avec une voisine de faculté. Cela s'était achevé en une après-midi d'amour furtif et incomplet, sur le lit de ma petite chambre, dans le pavillon où nous habitions en bordure du boulevard Pereire. J'avais craint que mon père ou ma mère ne reviennent plus tôt de leur travail, me surprennent en train d'essayer de perdre ma virginité avec une fille qui, de son côté, n'était pas la plus douée des amantes.

Elle n'avait apparemment pas été saisie de plaisir, ni moi de beaucoup de plénitude. Un véritable fiasco. On s'était regardés, penauds, gênés, presque honteux. Elle m'avait dit en se rhabillant :

— Si tu veux bien, quand on se revoit à la fac, on oublie tout cela. Je t'aime bien, mais je n'ai pas envie que l'on recommence. Je ne t'aime pas assez.

J'avais eu la politesse de ne pas lui répondre :

— Moi non plus.

Comme beaucoup de jeunes gens de ma génération et de ma classe sociale, j'avais rêvé d'une rencontre lumineuse, fulgurante, qui me sortirait de la médiocrité quotidienne, ouvrirait les portes du grand amour, la folie, le plaisir des corps, je rêvais de la "femme fatale" — et voilà que la passagère du *Queen Mary* était devenue la concrétisation de ce rêve. Blackbird, Blackie, Gladys Marstembrister, la jeune Américaine aux cheveux jaunes, aux paroles insensées, elle était là, sur ce paquebot, je l'avais embrassée, qu'attendais-je pour prolonger un tel extraordinaire événement ? Que m'importait le regard de mes amis ? Que m'importait qu'elle n'ait pas encore répondu à ma lettre ? Elle avait démontré un tel sang-froid et une telle liberté dans son comportement, pourquoi n'en ferais-je pas autant ? L'Atlantique me débarrassait de toutes les conventions établies autrefois, dans une vie à Paris qui me semblait, désormais, vaine et ennuyeuse. »

5

« Je me suis brusquement relevé de ma couchette et j'ai décidé d'obliger Blackie à me revoir d'une façon ou d'une autre. Je suis remonté dans la coursive des suites et j'ai frappé à la porte de la 29. J'attendais, je frappais, j'attendais. Aucune réponse. Au bout d'un moment, une autre porte s'est ouverte dans mon dos.

— Holà ! Que cherchez-vous ici, monsieur ?

Je me suis retourné. C'était le père de Blackie. Il avait l'air d'un arc-en-ciel. Il portait des chaussures blanches à semelles de couleur ambre, une veste de coton rose, un pantalon vert constellé de crocodiles jaunes, un polo-shirt mauve — la tenue de ce que, plus tard, on vint à connaître comme *preppy*, à la fois étonnante pour un Français de cette époque, franchement risible et, en même temps, non dépourvue de charme et d'intérêt. On hésite entre le mauvais goût total ou le comble d'un choix qui consiste, pour les gens très riches, à porter ce qu'ils veulent et faire en sorte que cela devienne le chic et même une mode. Très tôt dans ma vie — et cela date sans doute aussi, comme beaucoup d'autres choses, de mon séjour sur la côte Est des États-Unis, à Boston, dans une université de l'Ivy League — je me suis attaché à la tenue vestimentaire, aux accessoires pour hommes, j'ai longtemps été qualifié par mes relations de "dandy à l'américaine". Je me suis trop préoccupé des apparences, et cela ne s'arrête pas à la garde-robe. C'est tout moi, tout mon piètre chemin, en vérité — j'en ai fait ma profession, j'ai vécu dans la mode, figurez-vous. Le *fashion world* ! Ces digressions vont vous ennuyer, je le crains. Vous devez néanmoins vous interroger sur la précision de ces détails à propos d'un épisode qui date pratiquement de plus d'un demi-siècle — cela me surprend moi-même, pour tout vous dire. C'est comme si tout avait été enregistré et que la seule évocation d'une chanson faisait tout ressortir d'une boîte ou d'une bande magnétique. C'est l'apanage des gens âgés : plus c'est loin, plus la mémoire est exacte. Et plus j'avance, et mieux vous m'écoutez, plus je me sens capable de tout reconstituer. Dans peu de minutes, je pourrai vous préciser le goût de la marmelade que l'on nous servait au breakfast ! Mais je m'égare, et je vous égare, et je dois reprendre mon récit. »

6

« Le père de Blackie avait été presque brutal lorsqu'il m'avait interpellé. Je n'avais prêté aucune attention à cet homme quand j'avais abordé la table des Marstembrister le premier soir, mais j'avais maintenant en face de moi un type robuste, de haute taille, au ventre à peine arrondi, aux épaules larges et bosselées, la stature d'un ancien athlète de haut niveau qui continuerait, malgré l'arrêt de la compétition, à entretenir soigneusement sa musculature et à s'assurer que l'embonpoint ne vienne pas trop effacer la silhouette avantageuse de sa jeunesse perdue. À peine m'eut-il reconnu que sa voix s'adoucit :

— Ah ! Mais je vous ai déjà vu, vous êtes le jeune Français de l'autre soir, c'est bien cela ?

— Oui, c'est moi, monsieur, je suis confus et désolé, j'espère que je ne vous ai pas dérangé.

— Pas du tout, jeune homme, pas du tout ! Vous cherchiez Blackie, peut-être ?

— Heu, oui, exactement, monsieur.

— Entrez donc chez moi, venez vous asseoir. Elle ne va certainement pas tarder à rentrer. Je ne sais pas où elle est passée avec sa mère.

J'ai fait un pas pour traverser le couloir et pénétrer dans la suite 28, côté pair. Ils occupaient donc deux suites, une pour les parents et l'autre pour leur fille toute seule. Une preuve de confort matériel, cela me plaisait. Le luxe m'a toujours attiré, le confort, les avantages procurés par l'argent. Je l'ai cherché toute ma vie, avec des hauts et des bas. Vécu dans les hôtels et sur les bateaux. Il m'est même arrivé à une certaine époque, lorsque c'était un privilège quasi exclusif et un luxe, de prendre un billet d'avion de première classe pour n'importe quelle destination, aller et retour, comme ça, pour le simple plaisir de vivre dans l'insignifiance du luxe...

Je suis entré. La suite ressemblait à celle de Blackie, sauf qu'elle était encore plus vaste, avec les mêmes accessoires : téléphone blanc, phonographe sur un meuble, miroirs et lustres, meubles amples et coussins épais, le tout de couleur crème. À peine m'étais-je assis sur un sofa que le père de Blackie entreprit de se confier à moi comme si nous étions déjà très familiers. Sa franchise était ahurissante, immédiate, presque gênante. Il m'expliqua que Blackie connaissait bien l'Europe, la France, l'Italie, les îles et les lacs, les us et les coutumes des gens de chaque pays, et en particulier de certains types d'hommes, et qu'elle n'en était pas à son premier voyage. Jusqu'ici, elle avait fait l'Europe en compagnie d'une de ses amies — qu'elle ne voyait plus d'ailleurs, elles étaient fâchées à mort, une histoire de rivalité sans aucun doute. Un *lover boy* qu'elles s'étaient disputé, vraisemblablement. Blackie s'était "beaucoup émancipée, beaucoup trop, mais nous n'avons rien pu y faire. Elle a une nature excessivement particulière, vous savez".

Le couple avait décidé de l'accompagner cette année-là, mais cela n'avait pas, selon le père, "calmé" son besoin de rencontres. Il décrivait Blackie comme un être libre et indépendant, à qui il était simplement impossible d'imposer tout interdit. Elle ne faisait "que ce qu'elle voulait", et si on tentait de la priver de telles sorties ou telles fréquentations, eh bien, elle était "capable de tout". Il mentionna des menaces de suicide, des scènes en public, beaucoup de situations "embarrassantes" et quelques tentatives inutiles de séances d'analyse chez des spécialistes "payés cher pour pas grand-chose".

J'étais abasourdi par la façon dont ce père parlait aussi ouvertement des "particularités" de sa fille à un inconnu. Je n'étais pas encore accoutumé à cette propension qu'ont certains Américains à déballer leur vie à l'usage de n'importe qui — et lorsque je le devins (et que je me souvenais de cette première conversation), j'en demeurais encore perplexe car, dans le monde des riches auquel appartenaient les Marstembrister, on ne se confie pas ainsi à tout un chacun. Vous me direz que je suis bien, en ce moment, en train de faire la même chose avec vous. Mais il y a une différence : je n'ai plus vingt ans, et vous non plus. Et puis, vous avez sifflé *Bye Bye Blackbird*, et cela m'a suffi. Croyez-moi, vous êtes la première personne à qui je raconte mon histoire.

Je n'avais pas prononcé un mot ou presque pendant ces confidences énoncées avec une sorte de placidité résignée. J'avais fini par me demander si le bonhomme n'était pas complètement ivre tant la tonalité monocorde de son discours ressemblait à ces soliloques libérés que tiennent parfois les grands alcooliques. Mais non : il était bien trop tôt pour qu'il se soit abreuvé d'une boisson autre qu'un thé ou un café. Et puis son allure d'ancien athlète ne laissait pas deviner un quelconque penchant pour la bouteille. M. Marstembrister s'exprimait plutôt comme un homme d'affaires, qui viendrait vous exposer l'état désastreux de ses finances, comme s'il ne s'agissait pas des siennes, et comme s'il savait que, de toute façon, il finirait bien par en sortir. Je n'arrivais pas à deviner s'il était en proie à une sorte de calme désespoir ou volontairement enfermé dans une indifférence stoïque. Que pouvais-je comprendre ? Je ne pouvais qu'écouter, je ne savais rien de la nature des êtres, encore moins des étrangers, et même s'il me semblait que j'en apprenais un peu plus à chaque seconde, j'étais incapable de formuler une réponse ou une réplique aux remarques de cet homme.

D'ailleurs, il n'en attendait pas de moi. J'avais la sensation qu'il se servait de ma présence comme d'un miroir dans lequel il contemplait un état de fait auquel il ne pouvait pas grand-chose.

— Avec mon épouse, c'est-à-dire sa mère, nous avons bon espoir que les prochaines fiançailles de Blackie, et donc son futur mariage avec un garçon de très bonne souche, très bon standing — il appartient à notre classe, si vous voyez ce que je veux dire, bonne fortune, bonnes racines, bonnes mœurs —, nous avons donc l'espoir que cela contribuera à ramener un peu de raison dans un comportement aussi déraisonnable. Sa mère y croit.

J'ai eu l'audace de l'interrompre.

— Et vous, vous y croyez ?

Il a fait une grimace béate, presque imbécile.

— Oh moi, j'y crois dur comme le métal dont est fabriqué ce paquebot, mon cher ami, dur comme l'acier !

Et puis il a lâché :

— Je plaisante, bien entendu, ça ne marchera jamais. Blackie est le genre de femme qui fuit l'autel en courant dans sa robe nuptiale à l'instant où on lui demande "acceptez-vous de prendre pour époux, etc." et va rejoindre le maître nageur avec qui elle a couché la veille. Au mieux, elle se mariera quand même, elle divorcera dans les dix-huit mois qui suivront. Plutôt douze mois que dix-huit, à mon avis.

J'avais du mal à dissimuler mon effarement. Il finit par en rire.

— Ne soyez pas surpris. Il faut prendre tout cela avec le recul de l'humour, mon cher, avec la notion indispensable de l'origine de toutes choses. Vous avez remarqué que je ne parle de Blackie que comme Blackie. M'avez-vous entendu prononcer le mot *daughter*? Elle n'est pas ma fille. C'est la fille du premier mariage de sa mère, ce qui me permet d'en parler avec un certain détachement. Je ne suis pas à l'origine des choses, voyez-vous. Blackie était déjà comme ça, très émancipée, lorsque j'ai rencontré puis épousé sa mère. Je ne sais de qui elle tient cette nature, de son père peut-être, c'est comme le mat de sa peau. Un vagabond, ce type, un bon à rien, un bâtard pervers égaré dans notre milieu et dont il a été exclu à la suite d'un scandale — une malversation financière de haut niveau. Je l'aime beaucoup, cependant, elle est attachante et drôle, intelligente — mais, que voulez-vous, c'est comme ça, nous sommes incapables de contrôler ses pulsions. Je comprends qu'elle soit irrésistible pour un homme. Et je suppose que c'est votre cas, comme pour tant d'autres.

La porte s'est brusquement ouverte et Blackie est entrée, accompagnée de sa mère, à laquelle elle ne ressemblait en rien. Blackie était vêtue d'un pull marin et d'un pantalon bleu foncé à larges pattes. Le seul point commun entre la mère et la fille était cette couleur étrange de cheveux que je vous ai toujours décrite comme jaune mais pas blond — le jaune cru des fleurs de tournesol. La mère était une femme au visage austère, tout en longueur, la peau pâle, osseuse et maniérée, vêtue de blanc des pieds jusqu'à la tête. Blackie n'a manifesté aucun étonnement en me découvrant avec son père. Elle est restée impassible. Nous avons tous les quatre échangé quelques phrases anodines. Blackie m'a très vite dit sur un ton posé et courtois :

— Vous voulez bien me suivre ? J'ai un mot à vous dire.

Je me suis levé, incliné devant la femme qui m'a fait un sourire mécanique et indifférent. Le stupéfiant M. Marstembrister m'a serré la main avec force et a chuchoté en se penchant vers mon oreille :

— L'origine des choses, mon cher ami, tout est dans l'origine des choses. N'oubliez pas !

Puis, il s'est redressé — c'était un géant, il mesurait dix centimètres de plus que moi — et, conservant sa grosse pogne dans la mienne, il a ajouté :

— Bonne chance en Amérique, mon garçon, bonne chance. Un étranger en a sacrément besoin dans notre pays. C'est un beau pays, mais qui ne pardonne pas la faiblesse.

Dans la suite 29, un orage a éclaté. J'ai vu Blackie se retourner vivement vers moi, la porte à peine fermée, défaire ses cheveux qu'elle avait noués en chignon et les secouer dans un mouvement furieux de la tête. Ses yeux bleu foncé étaient enflammés par la colère. Elle agitait son index dans ma direction, m'apostrophant avec une intonation rauque et répétant :

— Comment osez-vous ? Comment osez-vous ? Comment vous permettez-vous ? Pour qui vous prenez-vous ?

— Mais, je n'ai...

— Taisez-vous, m'a-t-elle interrompu. TAI-SEZ-VOUS ! Comment osez-vous ? Vous devriez avoir honte : non seulement vous m'envoyez une lettre pathétique et dégoulinante de sirop, infantile, digne d'un écrivaillon de bas étage, mais vous vous permettez en outre de venir sonner chez mon beau-père pour vous introduire dans mon intimité. Mais comment vous a-t-on élevé en France ?

J'ai levé la main, comme pour me protéger. J'avais craint un instant qu'elle ne me frappe — à vrai dire, j'aurais aimé cela. Elle a reculé, mis les deux mains sur ses hanches et m'a regardé en silence. Les cheveux en désordre sur ses épaules, les lèvres ouvertes, la poitrine apparaissant sous une chemise d'homme de couleur bleu pâle, elle était d'une beauté renversante. J'en étais, tout simplement, follement amoureux. Mais j'ai voulu expliquer comment j'avais d'abord frappé à sa porte et comment son beau-père m'avait invité, etc. Elle m'écoutait. Je ne voyais qu'elle, sa posture, sa cambrure, les lueurs, flammèches sombres, qui passaient dans ses yeux, et puis je découvris sa manière abrupte de se calmer, soudain. Cela s'était senti à un relâchement de son corps, un changement d'attitude, les bras qu'elle croise, la tête qu'elle renverse en arrière, le calme qui revient dans le regard, et avec un sourire ambigu et une voix très doucereuse :

— Vous devriez me demander pardon, il me semble. Je mérite au moins cela.

— Naturellement, Blackie, ai-je dit, je vous demande pardon. Votre irritation est injuste, je n'ai rien fait de mal. C'était un concours de circonstances indépendant de ma volonté. Pardon.

Elle ne bougeait plus, me dévisageait comme si elle se demandait ce qu'elle allait pouvoir faire de moi, car j'étais désarmé et prêt à tout pour lui plaire. Elle prit son temps pour juger de l'état réel de ma contrition, puis elle eut un rire de fond de gorge.

— Vous vous mettriez à genoux devant moi, là, si je l'exigeais. À genoux ! Je ne suis pas une telle garce. Nous n'allons pas rester debout comme ça, face à face. Asseyez-vous donc auprès de moi.

Nous nous sommes installés sur le sofa du salon, côte à côte. Je sentais ses cuisses contre les miennes. Elle a pris ma main et l'a posée sur ses seins.

— C'est cela que vous vouliez, n'est-ce pas ? Vous vouliez me toucher. Embrassez-moi un peu mieux qu'hier.

Je l'ai longuement embrassée et elle a répondu à mon baiser, puis m'a autorisé à la caresser. J'étais pressé, fiévreux. Alors que je m'enhardissais à descendre mes mains vers son bassin, sous le pull marine, elle m'a violemment repoussé.

— Ça suffit. On arrête. Vous êtes très maladroit. Vous avez la main trop rapide et trop baladeuse. Le flirt nécessite tout de même un petit peu plus de sophistication.

Elle s'est levée, elle a renouvelé le rite de la veille, manipulant le phonographe, et j'ai entendu à nouveau *Bye Bye Blackbird* — mais cet air m'exaspérait un peu. Je me trouvais dans un tel état d'excitation que la simagrée de cette chanson fredonnée par Blackie en mesure accentuait mon désarroi. En même temps, je n'étais pas maître de l'instant. C'était elle qui menait le bal, comme à chacune de nos rencontres. J'ai pu m'en apercevoir lorsque j'ai voulu la rejoindre et la prendre dans mes bras. Elle a eu un geste autoritaire, a barré mon chemin en opposant le plat de son avant-bras à la façon d'un joueur de rugby lorsqu'il effectue ce qu'on appelle un "raffut". J'ai renoncé, j'ai eu la maladresse de protester :

— Je ne vous comprends pas.

— Ah, vous voyez, c'est bien ce que dit la chanson ! Personne, ici, ne me comprend. Personne !

Elle a pris un ton ingénu comme si rien ne s'était passé et m'a demandé si je me rendrais, "comme tout le monde", le lendemain matin, dès quatre ou cinq heures, sur le pont avant, pour assister à l'arrivée dans le port de New York. Bien entendu, ai-je dit avec enthousiasme. Elle a ricané.

— Mais ça n'a aucun intérêt, aucun ! C'est quoi ? La *skyline* avec quelques malheureux gratte-ciel dans la brume la plupart du temps et la statue de la Liberté, et alors ? *So what ?*

Alors, je lui ai dit que c'était un moment que nous attendions tous, nous qui venions d'Europe, qui avions rêvé d'Amérique, qui imaginions ce que tous les immigrants, depuis si longtemps, avaient pu ressentir. Une émotion inconnue, une porte qui s'ouvrait sur une aventure, la première vision de cette ville au nom mythique, la première réalité après des jours et des nuits parfois monotones au cours de ce qu'elle avait elle-même appelé "une mauvaise comédie entourée d'eau". J'insistais :

— Vous êtes tellement *jaded*, tellement blasée, tellement revenue de tout, que vous refusez de comprendre ce que signifie ce moment. Bien sûr, vous avez fait plusieurs fois le voyage et tout cela peut paraître ne rien signifier pour vous, mais, moi, je suis sûr que ça va être extraordinaire, je m'y suis préparé depuis le jour où j'ai appris que j'avais reçu cette bourse et je suis certain que tous les passagers, tous ! éprouvent la même chose. Tous, sauf vous, Blackie la Revenue de Tout.

Elle a émis un petit sifflement d'admiration, persifleur.

— Bravo, bravo, félicitations, vous savez fort bien vous exprimer quand vous le voulez. Il suffit d'un peu vous provoquer.

L'avais-je vexée, avais-je froissé son orgueil ? Les changements d'humeur de cette jeune femme vous déséquilibraient. Un instant, elle vous encourageait à la "peloter" (on disait ça autrefois, rappelez-vous, quand on parlait des attouchements d'approche amoureuse), elle vous offrait ses lèvres et sa langue, ses seins sous le pull, et, dans la seconde qui suivait, elle vous rejetait, se faisait hautaine et distante. Debout devant le phonographe, Blackie a envoyé une dernière flèche.

— J'ai une question à vous poser. Importante. Réfléchissez bien. Vous n'êtes pas obligé de me répondre tout de suite. Voici ma question : à choisir, vous préféreriez assister à votre fameuse arrivée dans New York sur le pont, ou bien ? Ou bien, à la même heure, l'heure où tous ces nigauds vont s'extasier devant l'apparition de quelques immeubles, venir me faire l'amour, ici, dans mon lit ?

J'ai vu du vice sur son visage. Ça m'a glacé. Je suis resté muet. Elle avait allumé tous ses feux : défi, provocation, indécence, je découvrais tout cela dans ses yeux et sur un sourire enjôleur et insolent.

— C'est New York ou c'est la baise. New York ou

moi ! *New York or fuck.* Vous avez le choix. Vous avez toute la nuit pour y réfléchir. *Bye bye.*

Et d'un geste du bras tendu, en agitant la main comme on époussette une chiure de mouche sur une vitre, ou comme l'on montre la porte à un domestique, elle a fait signe que je devais dégager sans que je puisse ou veuille formuler un semblant de réponse. »

7

« L'arrivée sur New York a été aussi impressionnante que nous l'avions espéré. Un murmure, un bourdonnement d'admiration s'était emparé de tout le groupe qui avait réussi à s'installer très tôt, engoncé dans des couvertures de laine, au premier rang de la proue du pont de notre niveau, et certains passagers s'étaient pris par la main, spontanément, comme pour partager ce moment : les brumes qui se déchirent, la silhouette de la statue de la Liberté et, derrière elle, une rangée de longues et hautes structures gris et blanc, qui grattaient le ciel, et le long desquelles on croyait voir fourmiller des centaines de petites bêtes aux coques de métal — ça n'arrêtait pas d'aller dans tous les sens, sur des espèces de rubans noirs. C'étaient les voitures, par milliers, des voitures qui glissaient en silence. Nous sortions à peine de la guerre et d'un Paris aux rues quasi vides, et cette vision de la civilisation automobile, alliée à la majesté de l'entrée dans la baie, avait pris pour nous des allures d'épiphanie. Pour moi, en tous les cas, et je m'abreuvais d'autant plus du spectacle qu'il me permettait d'oublier la morsure de remords qui me parcourait. Avais-je fait le bon choix ?

Une grande partie de la nuit, je m'étais interrogé tout en rangeant mes affaires dans l'unique grosse valise aux contreforts de couleur bistre que ma mère avait soigneusement préparée avant de partir. Je m'étais demandé quelle part de jeu et de piège était entrée dans la proposition de Blackie. Ses caprices et le plaisir pervers qu'elle avait manifesté à me manipuler comme un jouet m'avaient fait reculer — un ressort d'orgueil ou de peur. Et si je continuais à la désirer, j'avais aussi trouvé la ressource de m'en tenir à ma volonté. New York, c'était mon choix, et puis il y avait les autres et leurs regards. Ils n'auraient pas compris que je ne me présente pas à ce rendez-vous sans précédent de l'aube américaine. Enfin, dans l'état d'hésitation et d'incertitude qui était le mien, j'en étais arrivé à la résolution insensée que, après tout, je pourrais peut-être tout faire : à la fois aller admirer New York, puis, très vite, rejoindre la suite 29 pour retrouver Blackbird.

Au bout d'une heure de la très lente arrivée dans le port de New York, j'ai été repris par l'idée folle que j'avais eue dans la nuit. J'ai abandonné les copains, prétextant que je n'avais pas tout à fait terminé de boucler ma valise. Je me suis rué pour grimper vers la coursive des suites de luxe. J'ai frappé à la porte de la 29. Aucune réponse. J'ai frappé chez les parents. Aucune réponse. J'ai alors couru vers le pont qui correspondait à cette partie supérieure du paquebot.

Dehors, il y avait aussi une assemblée de passagers qui suivait l'entrée dans New York. Mais la ferveur et l'étonnement étaient moindres. Ils bavardaient entre eux de façon mondaine. Le bourdonnement de leurs voix n'avait pas la même consonance que la nôtre. Les riches ne murmurent pas comme les autres. Ça sonne plus feutré, plus initié, plus suave. J'ai alors eu la sensation que je n'appartenais pas à ce qui ressemblait à un club de nantis. J'ai tout de même cherché Blackie et ses parents parmi ces gens à l'allure différente, mais je ne les ai pas repérés. Où avaient-ils bien pu passer ?

J'ai songé que je devais abandonner, en finir avec mon fantasme, commencer la descente vers ma cabine. Il régnait maintenant un brouhaha général dans les coursives et sur les ponts. Ce n'était pas de l'affolement, mais une agitation collective à quoi se mêlaient de nombreuses sensations : l'angoisse, autant que l'excitation de l'imminent débarquement en terre inconnue, une sorte de trac avant d'entrer sur la scène. Les gens s'égaillaient, se dispersaient en parlant haut et fort. Je me suis arrêté, frappé par une évidence : mais c'étaient tous des moutons ! Il ne fallait pas les suivre ! J'ai eu cette révélation. J'en avais beaucoup appris sur moi-même en quelques jours, je m'étais découvert des réflexes nouveaux. Mes braves compagnons avaient connu une traversée sans histoire, bien régulée, monocorde. Une gentille petite croisière, bien pépère. Moi, j'avais cherché une fille, je l'avais trouvée, elle m'avait allumé, aguiché, épaté, provoqué, j'avais bu sa vodka, goûté ses lèvres, caressé ses seins et son ventre, elle m'avait éclaboussé avec sa déraison et ses humeurs, elle s'était sans doute jouée de moi et m'avait fait une proposition indécente dont j'avais retenu l'audace.

Audace pour audace, je me suis dit qu'il fallait que j'aille jusqu'au bout et que je tente ma chance une dernière fois. J'ai regardé ma montre. Un steward nous avait dit la veille qu'on accosterait à huit heures précises. Il était sept heures du matin. J'étais debout depuis quatre heures. Je me suis rué à contre-courant vers le pont supérieur, celui des riches.

En débouchant dans le couloir, je l'ai vue, silhouette enveloppée de blanc, sur le palier de sa porte et elle m'a hélé :

— Hey !

J'ai couru vers la suite. Blackie avait des gestes pressés, rapides et frénétiques.

— Venez, venez !

Elle m'a fait entrer. Elle était en peignoir, pieds nus, les cheveux défaits, une expression avide et un peu folle sur son visage non maquillé. Elle a fermé la porte, m'a laissé passer juste devant elle, puis s'est appuyée à la cloison et a fait pivoter mon corps vers le sien. Elle a ouvert son peignoir, révélant son corps nu, offert, ses seins tendus, son sexe. Elle a soufflé sur un ton impérieux, un chuchotement au débit accéléré, comme celui d'un conspirateur :

— Prenez-moi, prenez-moi tout de suite, là, debout, vite, prenez-moi contre la porte. Allez, vite, vite !

J'ai perdu toute inhibition, j'ai agrippé ses hanches, elle m'a enlacé et a fait basculer ses cuisses de chaque côté de mon bassin, puis noué ses chevilles derrière mon dos, tout cela avec une rapidité et une dextérité étonnantes. Je l'ai pénétrée, lui rendant la même fureur qu'elle m'avait transmise. Sa bouche collait à mon cou, elle répétait dans une sorte de rage :

— Vite, vite, plus vite, plus vite, plus fort, allez, viens, viens, tout de suite. Viens !

Elle a mordu mon épaule. Je suis "venu", comme ils disent là-bas, et tout de suite, en effet. Alors elle m'a écarté sans délicatesse, respirant fort, et m'a fait signe d'encore reculer, de me détacher de son corps. Il me semblait que tout cela avait duré une seconde.

— Rhabillez-vous, m'a-t-elle dit. Allez-vous-en. Allez, vous avez eu ce que vous vouliez. Ça va comme ça, allez. Remettez votre pantalon, vous avez l'air obscène, comme ça. Allez, partez, foutez-moi le camp.

J'avais du mal à reprendre mon souffle. Je l'ai regardée. Elle avait une expression voilée, hantée, une cernure mauve avait creusé sa peau sous chacune de ses paupières. On ne pouvait lire aucune satisfaction ni aucun plaisir sur ce visage auquel, en vérité, je ne comprenais rien. Quelque chose de mortel était passé dans ses yeux. Un teint de feuille d'automne, du pastel pâle, avait pris possession de ses joues, comme si quelqu'un lui avait collé un masque de cire, en l'espace d'un soupir.

Elle a fermé son peignoir. Je me suis rhabillé à la hâte. Elle a émis un souffle, et elle a répété :

— Allez-vous-en. Vous avez eu ce que vous vouliez. Vous êtes tous les mêmes.

Elle a semblé reprendre une respiration normale et m'a regardé avec mépris. En même temps, je voyais bien qu'elle ne me regardait plus, ses yeux étaient perdus, opacifiés. Elle m'a dit de sa voix d'oiseau nocturne :

— Faites-moi une faveur, quelle que soit la direction que va prendre votre séjour dans mon pays, ne cherchez en aucune façon à me revoir. »

8

« Je ne l'ai jamais revue, jamais.

Le voyage pour Boston, l'initiation à l'activité du campus, tous ces rites et obligations, tout cet apprentissage d'un monde difficile et singulier, mes études, j'étais absorbé par cette nouvelle vie et j'ai réussi non pas à l'oublier, mais à divertir mon attention et mes priorités vers d'autres gens, d'autres choses. Peut-être aurais-je dû tenter de la retrouver. Je n'en avais ni les moyens ni le temps. Mais elle m'avait marqué, comme on impose un fer brûlant sur la cuisse d'un bouvillon. On dit souvent que c'est parfois la première femme, la première expérience sentimentale et sexuelle, la première vision ou rencontre qui détermine, ensuite, les choix amoureux d'un homme. Flaubert a vécu cela, paraît-il. Il en a fait le début de son *Éducation sentimentale.*

Eh bien, dans mon cas, quand j'y réfléchis, et j'y ai souvent réfléchi, c'est une évidence. Les quelques *college girls* que j'ai pu fréquenter lors de mon séjour à Boston m'ont toutes paru fades, dépourvues de ce soufre, cette dualité, cette franchise et cette "émancipation", comme m'avait dit son beau-père, le surprenant M. Marstembrister. Cette séduction, cette hystérie, sans doute — ce désespoir et cette duplicité, cette sensualité, ce charme, cette intelligence pervertie, cette sexualité sans convention, cette insatisfaction. Pardonnez-moi, mais j'en rajoute peut-être un peu... En tout cas, c'est cela que j'ai cherché inconsciemment pendant toute ma vie d'adulte depuis ce jour-là, chaque fois que j'ai entamé une relation avec une femme. Marié quatre fois, divorcé autant de fois, des maîtresses épisodiques et nombreuses, tous ces oiseaux noirs ! Pas d'enfants, vie ratée, vie réussie, peu vous importe. Et plus elles appartenaient à ce que Proust a appelé la "magnifique et lamentable famille des nerveux, le sel de la terre", plus elles m'attiraient, plus j'aimais souffrir par elles et pour elles. Et leurs infidélités autant que les miennes, leurs dominations et ma soumission consentie, leur déraison, ma propre névrose, si je veux bien y réfléchir avec le recul du temps, je les dois au "Blackbird". Peut-être pas entièrement, mais tout de même, tout de même... »

Les lumières du François-Coppée s'étaient allumées. Le soir tombait. L'homme s'est enfin tu. Il avait dû se dérouler deux heures pendant lesquelles il m'avait livré la fin de son histoire. Je lui ai demandé pourquoi il s'était confié à moi avec une telle impudeur, un tel luxe de détails, une telle complaisance. Son visage parcheminé de vieux dandy solitaire s'est fendu d'une grimace.

— L'élément inconnu.

J'ai sursauté.

— Que voulez-vous dire ?

— Vous avez sifflé cette chanson dans la rue, monsieur.

Je lui ai dit :

— Non, non, désolé, mais ça n'est pas une réponse suffisante.

Il a souri.

— Parce que je sais qu'un jour, vous mettrez ça dans un livre.

9

Je repensais à ce type, cet homme âgé, tout vêtu de gris, ce dandy à la mémoire tellement vivace et aux souvenirs aussi frais qu'une pêche cueillie au printemps. Ça me titillait, son histoire. J'ai pensé qu'en son temps (il m'avait parlé du milieu des années quarante, juste après la Deuxième Guerre mondiale) il n'aurait en effet pas été simple pour un jeune homme dépourvu de moyens comme il l'était, un étranger, de chercher à retrouver la trace d'une Blackbird dans l'immense continent américain. Rien de ce que nous utilisons aujourd'hui pour nous informer, rien ! n'existait à l'époque.

Ainsi, pour ma part, dix ans plus tard que ce type, j'ai étudié sur un campus américain. J'ai passé deux années entières sans téléphoner une fois à ma famille à Paris. Le téléphone était un gros accessoire noir, onéreux et rare. Depuis, la révolution a eu lieu. Les réseaux sociaux, Internet, Google, Facebook, tout cela a tout changé. Tout change, et j'imagine qu'aujourd'hui il suffirait de cliquer de-ci de-là sur la Toile avec un peu de patience et d'habilité pour entrer en contact avec l'équivalent de cette Blackie — pourvu qu'on veuille le faire, bien entendu. Car la question est là : avait-il eu envie de la revoir ? J'ai rangé les notes que j'avais prises après avoir entendu ce récit que, si j'avais dû en faire un livre, j'aurais pu intituler : « La Passagère du *Queen Mary* ». Titre un peu banal, mais il a du charme : il y a la présence d'une femme — et ce mot évocateur : « passagère » — et puis le nom légendaire du paquebot. On pourrait aussi appeler ça « *Bye Bye Blackbird* » — c'est encore plus approprié, n'est-ce pas.

Le hasard dont cet homme m'avait parlé — ce terme qui ne veut rien dire, mais qui est tellement commode pour cerner l'élément inconnu qui fait basculer une vie — m'a permis d'aller un peu plus loin. Car je suis curieux. J'aime fouiller le fond des choses. Il se trouve qu'un ami américain, diplomate itinérant, m'a confié, un peu après que j'eus recueilli le récit du bonhomme, que ses parents, à la retraite dans une ancienne ferme aménagée du South Dakota, s'étaient inventé un curieux passe-temps.

— Figure-toi, m'a-t-il raconté au cours d'un déjeuner au Cherche-Midi (petit restaurant italien où j'aime aller avec ma femme et mes enfants), figure-toi que mes parent sont des maniaques. Ils sont complètement cinglés. Ils vont naviguer sur la Toile, se livrant à toutes sortes d'activités triviales, qui ne présentent aucun intérêt, mais qui occupent pleinement leur vie quotidienne. C'est ainsi qu'entre autres lubies ils se sont mis à consulter les manifestes des grands paquebots transatlantiques avant que l'aviation commerciale à réaction ait modifié la pratique du voyage entre nos deux continents. Ils font des listes. Ils établissent des comparaisons entre les noms, les nationalités. Ils dressent une sorte de nomenclature insolite, et à mon avis entièrement inutile, mais ça les amuse. Ils croient pouvoir en tirer je ne sais quelle étude d'ordre sociologique ! Qui allait en Amérique, quelles étaient les nationalités, quels étaient les âges, les identités, etc. Ils ont évidemment tout mis sur leur ordinateur et c'est comme ça qu'ils ont retrouvé ton nom, un jour, assez facilement d'ailleurs, et qu'ils m'en ont parlé, puisqu'ils savent que nous sommes amis.

J'ai sauté sur cette occasion. J'ai demandé à mon ami si ses parents un peu « cinglés » pouvaient aller vérifier plus en amont dans le passé. Aller chercher dans les manifestes de la Cunard Line le nom de Marstembrister — un couple américain, avec une fille prénommée Gladys. Tout cela aux alentours, disons, de 1945 à 1948. Je n'ai plus eu de nouvelles de mon ami. Il ne passe pas souvent par Paris. Son périmètre d'action se situe plutôt en Asie du Sud-Ouest.

Je n'ai pas songé à le relancer. Du temps a coulé. Et voilà qu'un jour cet ami me rappelle.

— Tu sais, je n'ai pas oublié ce que tu m'avais demandé. Mom et Dad n'ont rien trouvé, aucun nom de la sorte. Ils affirment qu'il n'y a pas une seule mention d'un couple Marstembrister et encore moins d'une Gladys dans aucun des manifestes du *Queen Mary* et ceci sur dix ans de traversées. Ça leur a pris beaucoup de temps, parce que, comme je te l'ai dit, ce sont des gens très maniaques et ils ont pris ta demande comme un défi. Un challenge ! Ils disent qu'ils ont énormément cherché et beaucoup travaillé, mais non, strictement rien, désolé !

Il m'arrive assez fréquemment d'emprunter la rue de Sèvres. Lorsque je le fais, je m'oblige à siffler longuement, de façon assez appuyée, la mélodie de *Bye Bye Blackbird*, avec l'espoir que mon bonhomme va resurgir et que je saurai enfin si c'est un fabulateur, ou si ces Américains et leur romanesque fille voyageaient sous un faux nom — ce qui serait encore plus romanesque. Pourquoi les Marstembrister ne s'appelaient-ils pas Marstembrister ?

Mais le type en gris n'est jamais réapparu.

10

Les mots, pour circonscrire l'élément inconnu, manquent de sens — ou, plutôt, ils ont été si souvent utilisés qu'ils ont perdu une partie de leur force de conviction. Les mots sont usés par le temps, comme les galets de la rivière Tescou qui coulait en bas de la maison de mon enfance, polis par le flot de la littérature, la philosophie, la religion. Leur usure fait leur qualité, elle trace leur limite.

Il y a les galets identifiés comme « hasard », d'autres sous le nom de « destin » ou encore de « fatalité », « prédétermination ». Balzac, qui hésite souvent à évoquer Dieu, préfère choisir une « force inconnue » ou une « puissance obscure ». Plusieurs facteurs se croisent. Ainsi dit-on couramment de Charles de Gaulle, décidant le 18 juin 1940, à l'âge où, à l'époque, on songeait à la retraite, de rompre avec toute son éducation et toutes les normes, à contre-courant des lâches et des aveugles, pour lancer son appel — ainsi dit-on qu'il y a eu ce jour-là « rencontre entre un caractère et les circonstances ».

Balzac, toujours lui, écrit :

« Il n'y a pas de principe, il n'y a que des événements. Il n'y a pas de loi, il n'y a que des circonstances. »

Bien sûr, cher Honoré, vous avez raison, mais Benjamin Constant, bien avant que Balzac ait vu le jour, disait :

« Les circonstances sont peu de choses. Le caractère est tout. »

Deux esprits français, à quelques siècles de distance, ne font qu'illustrer la vérité selon laquelle « il y a au moins deux réponses à la même question » (Michael Crichton).

Crichton était un de ces romanciers inventifs et polyvalents, nourri d'un savoir et d'une expérience médicale et scientifique, et dont les best-sellers possédaient une dimension légèrement supérieure à l'habituelle machine à argent anglo-saxonne, formatée habilement, facile, incitant les lecteurs à vouloir impatiemment connaître la suite. Les entretiens que donnait Crichton ne laissaient pas indifférent :

« Notre espèce a du mal à comprendre qu'elle ne peut pas tout comprendre. L'arrogance humaine me terrifie, disait-il. Je suis toujours perturbé lorsque je rencontre quelqu'un qui prétend avoir réponse à tout. Mon sentiment est qu'il y a au moins deux réponses à la même question. »

Pascal avait écrit la même chose, bien avant le best-seller américain, lequel ajoutait :

« Nous avons oublié que nous évoluons dans un monde naturel où les règles sont différentes de celles de la technologie d'aujourd'hui. »

Et de conclure, dans un sourire :

« Les gens se noient régulièrement. Ils ne se rendent pas compte du pouvoir de l'océan. »

Le génie, le talent ou l'humour des autres vous font souvent réagir : « C'est exactement ce que je pense. » Il convient, dès lors, de rapporter leurs citations en toute humilité. Elles reflètent nos propres idées. Comme l'écureuil amasse les noisettes pour l'hiver, je les ai glanées au fil des années. Nous voici donc à la veille de ma deuxième histoire, « à ce stade de la compétition ». J'ai une faiblesse pour cette formule, comme pour toutes les formules du journalisme sportif. Je trouve, dans cette langue si particulière, des titres possibles et des métaphores, illustrations de la vie. Par exemple : « La Surface de réparation », en matière de football. Beau titre d'un polar que je n'écrirai jamais. En matière hippique, « Les chevaux sont sous les ordres », et encore plus évocateur : « Les chevaux sont dans la plaine ». Cette dernière formule m'avait été donnée par un ami, un aîné, Jean Eskenazi, qui fut ce que l'on appelle un grand journaliste sportif. Quand il entrait dans les vestiaires, à la mi-temps ou à la fin d'un match, les footballeurs se levaient et l'appelaient Monsieur. Il est vrai qu'à l'époque les footballeurs avaient des manières. Eskenazi mesurait un mètre soixante, peut-être moins. Rond comme une boule de billard, grassouillet, avec la peau de couleur abricot foncé, une peau douce, de bébé. Des lèvres épaisses, des cheveux gominés noirs, une prédilection pour les cigares et les costumes coupés sur mesure, un éternel œillet rouge à la boutonnière — parfois blanc —, il aurait pu passer pour le Brésilien sorti de l'opérette d'Offenbach ou de mon poème favori d'Apollinaire, *Marizibill*. En réalité, en dehors de son expérience et son expertise sans égale en matière de sport, il possédait la sagesse de ses ancêtres, des juifs séfarades mâtinés d'Égypte ou de Smyrne. Il me surprenait toujours par une culture qui n'était pas très courante sur les gradins des stades de football. Pour définir un avant-centre qui se distinguait du lot, il citait Talleyrand : « On ne croit que ceux qui croient en eux. » Un soir d'été 1964, au stade olympique de Tokyo, lors des derniers Jeux olympiques innocents, alors que j'affichais une mine mélancolique, il vint s'asseoir à mes côtés : « Tu sais ce que Flaubert a dit à Maupassant ? Prenez garde à la tristesse, c'est un vice. »

Un petit garçon se perdait dans la contemplation de l'eau, penché sur le flot continu du ruisseau du Tescou. Était-ce un ruisseau ou plutôt une rivière ? Les deux mots me plaisent comme leur bruit, ce chant que j'aime entendre aussi bien dans une haute vallée de l'Engadine que dans un bocage normand ou le long des vallées toscanes. L'eau vive, la vie. En Engadine, c'est plutôt un torrent et sa musique est plus énergique. Le petit garçon aimait scruter l'eau dans laquelle il voyait parfois s'agiter de minuscules têtards et, plus au fond, au centre du lit de l'eau, s'il avait de la chance et de la patience, un banc de bébés goujons. D'où venaient-ils ? Que signifiait l'action continue de cette eau ? Ce mouvement ? Balzac fait écho à la préoccupation intuitive du petit enfant face à la permanente fluidité de la rivière :

« Tout est mouvement, écrit-il, la pensée est un mouvement. La nature est établie sur le mouvement. »

Balzac continue et se dévoile enfin. Il ose, enfin !, écrire les quatre lettres DIEU. Lisez-le bien :

« Dieu est le mouvement, peut-être. Voilà pourquoi le mouvement est inexplicable comme lui et, comme lui, profond, sans bornes, incompréhensible, tangible. »

Alexandre Dumas formulait cela d'une autre manière qui pourrait surprendre si l'on oubliait que Dumas n'était pas seulement un conteur unique, l'inventeur de tous les westerns, le père fondateur de toutes les séries télé, de tous les feuilletons. C'est assez beau et assez fort.

« Abandonnez, dit-il, l'apparence matérielle pour le principe invisible — car le principe invisible est tout. »

Élément inconnu et principe invisible — nous retrouvons le thème qu'a circonscrit Einstein avec son « flûtiste invisible ».

LA LIGNE DE MIRE

1

Le type me regardait de l'autre côté des tables et je voyais un visage creux, des joues maigres, la physionomie d'un homme affamé. Une sorte d'amusement ironique brillait dans les yeux sombres enfoncés sous des arcades sourcilières avancées. Il avait le cheveu noir, légèrement grisé aux tempes, coupé court, beaucoup trop court.

Lorsque, dans un lieu public, ou au milieu d'une foule, un ou une inconnu(e) braque ses yeux vers vous, même si c'est dans votre dos, il survient invariablement une seconde pendant laquelle vous sentez que vous êtes regardé, comme une onde qui serait passée. Un rayon, une vibration, appelez ça comme vous voudrez. Ce soir-là, peut-être à cause de la petite distance qui séparait ma table de la sienne, j'ai ressenti ce phénomène et j'ai dirigé mes yeux vers cet homme, assis au milieu d'autres individus plus ronds et aux visages plus colorés que le sien, plus âgés, aussi. Autant ils avaient l'air joviaux, des bovins établis dans leur assurance et leur semblant de confort, autant le type qui me regardait affichait les stigmates de la privation ou de l'insomnie, ou du désordre intime. Il avait un teint cireux, un nez pointu et bref aux narines larges, et sur ses lèvres minces, à peine dissociées l'une de l'autre si bien qu'elles ne formaient qu'un trait droit, on pouvait lire comme de l'amertume. Ce n'était pas ce que l'on appelle un beau visage — mais qu'est-ce que la beauté ? En revanche, c'était un masque singulier. Venu d'ailleurs, sans identification possible, et cette étrangeté le rendait finalement beau. La beauté naît de l'attendu, c'est la beauté classique. La beauté naît de l'étrange, c'est l'autre beauté.

Il me fixait avec l'arrogance de qui semble en savoir plus de vous que ce que vous connaissez de lui. J'ai baissé les yeux et repris le cours de mon dîner et de la conversation avec le couple d'amis qui m'avait invité — mais je continuais à sentir le regard de ce type sur moi.

Le restaurant était plein, bruyant, chaud, on arrivait à la fin de l'été, les tables en terrasse toutes occupées dehors. On sentait bruisser dans l'atmosphère l'euphorie caractéristique du bistro parisien, avec les cris des garçons qui bousculent le collègue pour apporter les plats, les commandes passées à haute voix, l'agitation satisfaite du patron, conscient de son pouvoir provisoire : distribuer les places aux initiés et en refuser aux touristes de passage. Les rodomontades des hommes et le frétillement des femmes, chacun ou chacune à peine rentré de vacances exprimant le contentement de son bronzage, la vanité de sa blondeur. Chacun participant aux rites particuliers de « la rentrée », cette fugace préface dans l'année quand les nantis, redevenus des citadins, conservent encore l'allure et le verbe de leurs heures sur les plages et dans les villas dont chaque rangée de cyprès a la valeur d'une année de Smic. Ils paradent comme sur le port, traînaillant les pieds, comme s'ils portaient encore leurs spads le long des allées bordées de platanes centenaires. Au sein de cette banale comédie, la physionomie du type aux yeux sombres aurait dû faire contraste, mais personne, à part moi, n'y prêtait attention. J'avais, à plusieurs reprises, retrouvé l'insistance de son regard et, même s'il ne passait pas son temps à me dévisager, ni moi à lever les yeux vers lui, il s'était créé un échange entre nous.

Je le vis finalement se dresser pour quitter la table. Les autres convives restaient assis, réglaient la note, indifférents au type, qui leur fit à peine un salut. Il se dirigeait vers nous. À le voir s'avancer, je n'aurais pas pu lui donner d'âge. Il marchait lentement, au rythme compté d'un homme qui se saurait sous surveillance. Il portait un costume un peu froissé, aux manches trop longues, de couleur grisaille, on eût dit qu'il lui avait été prêté par quelqu'un qui n'avait ni sa taille ni sa maigreur. Il flottait un peu dans sa veste. Malgré l'inélégance des vêtements, chaque mouvement de ses hanches était empreint de souplesse. On essaie parfois de classer les hommes et les femmes et de les ranger dans telle ou telle famille humaine. On s'amuse aussi à chercher des ressemblances avec le monde animal, à distinguer les loups des moutons et les dindes des gazelles. Je vois cela souvent dans les milieux que je traverse. Le visage et le corps en disent beaucoup. Celui-ci est un irascible, celui-là un bon vivant, celle-ci une ambitieuse, celle-là une tendre. Celui-ci respire le mensonge et la duplicité, celle-là inspire confiance et clarté. Celui-ci est un émerillon vif et cruel, celle-ci une tarentule qui pique tout ce qu'elle touche. Celui-ci un veau niais et lent, celle-là une colombe douce et apaisée. On se trompe fréquemment, car la connaissance plus approfondie de chacun, une fois la fameuse première impression dépassée, vous apprend les risques et les limites de ce genre d'exercice. Aucun caractère ne se juge de façon expéditive, et l'expérience demeure le seul critère. Il est vain de s'en tenir à l'apparente veulerie d'un menton fuyant ou à la trompeuse luminosité d'un front large. J'ai connu des anges aux figures chafouines et des salauds qui avaient l'air d'enfants de chœur. Dans l'ensemble, cependant, l'observation du corps et des faciès peut aider à une classification. Dans le cas de ce type, dans le restaurant, j'avais du mal à établir des comparaisons.

J'avais rencontré et côtoyé quelques hommes de son style, en particulier, une dizaine d'années auparavant, dans le sud-ouest du Colorado. Ils n'appartenaient à rien, venaient de loin et parlaient peu. Ils n'étaient habités que par la certitude de leur seule et propre personne. Comme l'a écrit Dickens, ils faisaient chaque chose comme s'ils ne faisaient rien d'autre. Au moment où ils faisaient quelque chose, ils le faisaient comme s'il n'y avait rien de plus important, ni avant ni après. Ils m'avaient initié à des jeux dangereux au cours d'un été où j'avais compris certaines lois de la route et de la nature, et où la violence et la beauté du paysage m'avaient débarrassé de quelques innocences. Ces hommes-là ne finiraient jamais leur existence dans des lits douillets, leurs mères ne les attendaient plus à la maison. Ils étaient ce que l'on appelait là-bas des *tough-guys*, traduisez des durs. En regardant le type s'avancer vers moi, je croyais reconnaître la même sorte de dureté, mais il s'y mélangeait un semblant de fragilité.

— Vous permettez, je peux m'asseoir ? dit l'inconnu.

— Je vous en prie, lui dis-je.

Il se tourna vers les deux amis dont j'étais l'invité. Avec courtoisie, il leur demanda s'ils pouvaient le laisser seul avec moi. Paul et Christiane m'ont interrogé du regard, intrigués.

— Allez au comptoir, je vous rejoins, leur ai-je dit.

Ils se sont levés. Le type s'est assis en face de moi. Je voyais dans ses yeux la même trace d'ironie et de curiosité que j'avais perçue quand nous nous regardions à travers les tables. De plus près, son masque était encore plus remarquable, quelque chose de tendu, pas de graisse, des mâchoires carrées, peu de rides, mais quelques lignes fortes inscrites sur un front bombé avec des plissures convexes au coin des lèvres. La pâleur de son teint faisait ressortir des cernes qui se dessinaient sous des paupières jaunâtres, comme de minuscules coupelles que l'on aurait remplies de sable gris.

— Je vous connais, me dit-il.

Il y avait du gravier dans sa voix, des tonnes de cigarettes aussi. On sentait percer un son du Sud.

— Oui, d'accord, bien sûr, ai-je répondu.

L'exercice de mon métier avait commencé de me valoir un semblant de notoriété et j'avais déjà croisé des gens qui, m'ayant vu apparaître sur un écran de télévision, ou en photo dans quelques publications, m'avaient gentiment abordé. J'avais toujours tenté de répondre de manière agréable. Mais l'homme leva la main.

— Non, non, c'est pas du tout cela, dit-il. Non, non.

Il eut un sourire bref et froid, et se pencha vers

moi, posant à plat sur la nappe ses deux mains aux phalanges écorchées vives, aux doigts teintés de nicotine. Il ressemblait aux enfants sur le point de vous livrer un secret.

Lorsque notre fils avait quatre ou cinq ans, il venait à intervalles irréguliers se confier à sa mère et à moi. Son petit visage s'approchait de mon oreille. Il murmurait « secret rouge » et, d'autres fois, « secret bleu ». Il n'en disait pas plus. Nous ignorions quel était ce secret bleu ou rouge, mais, pour le petit garçon, il était évident qu'il y avait une grande différence entre les deux, et qu'il en maîtrisait toutes les clés. Son secret avait été énoncé et son choix de couleur aurait dû nous faire tout comprendre. On le sentait à la façon dont il prononçait le « bleu », plus velouté et confidentiel, plus tendre, et le « rouge », plus vigoureux et plus capital, chargé d'importance. Je n'ai jamais pu obtenir d'explications sur la teneur de ces secrets. Le petit enfant est devenu ce que l'on appelle un adulte et sans doute a-t-il oublié aujourd'hui ce qui se cachait derrière le « rouge » et le « bleu » de ses chuchotements. Je ne le lui ai pas demandé. Peut-être, si je l'interroge, ne me le dira-t-il pas, s'il a conservé en lui ce moment de son enfance. Mais je garde ce souvenir d'une tête penchée, un air grave et pénétré juste avant de prononcer la formule énigmatique.

Le secret du type du restaurant n'était ni rouge ni bleu. Il aurait fallu trouver une autre couleur pour définir la sonorité de sa voix : couleur métal. En me regardant fixement, il répéta :

— Je vous connais.

Puis, après un court silence, il lâcha :

— Vous avez été dans ma ligne de mire.

Dans l'instant, je n'ai pas bien compris. Devant mon air étonné, il a répété la phrase en la formulant différemment :

— Oui, oui, c'est bien ça, c'est bien vous, je vous ai tenu dans ma ligne de mire.

Il s'est reculé sur la chaise, a posé ses mains sur la table, et a esquissé un vague sourire dépourvu, cette fois, de toute ironie. Ses yeux semblaient chercher autre chose, au-delà de son interlocuteur. Il naviguait dans sa propre mémoire. Je n'ai pas répondu. Il a paru réfléchir, et puis :

— Mais je n'ai pas appuyé sur la détente. J'ai pas tiré.

— Pourquoi ?

— Je ne sais pas. Je ne pense plus à tout cela, depuis que je suis sorti de taule.

Il ne me donna ni son nom ni son prénom, en tout cas pas tout de suite, pas plus que le nombre d'années qu'il venait de passer en prison. Il avait bénéficié, quelque temps auparavant, d'une loi d'amnistie qui avait permis à de nombreux hommes, condamnés pour leurs actions au sein de l'OAS, de sortir de Fresnes ou d'ailleurs. J'ai pensé que je ne m'étais pas trompé sur son allure : il avait bien la gueule, le teint et la démarche d'un homme qui sort de taule. Fragilité, dureté. Manque de prise avec la réalité du quotidien.

— Attendez-moi là, je reviens tout de suite, ai-je dit.

Au comptoir, j'ai retrouvé mes amis pour les prier de ne plus patienter.

— Oubliez-moi ce soir, ce type a des choses à raconter. Intéressant.

— Tout va bien ?

— Mais oui.

— Tu le connais ?

— Pas du tout, enfin, oui et non.

Oui et non, puisqu'il prétendait avoir été en situation de me tuer et, même si je ne l'avais jamais vu, son regard et sa personne venaient d'entrer dans ma vie et avaient dessiné une trace invisible. Nous nous étions trouvés de chaque côté d'une ligne. Cela faisait de nous des êtres à la fois incompatibles et proches.

— Ne vous inquiétez pas, tout va bien, on s'appelle demain.

Ils avaient réglé l'addition. Je revins à ma table. Le type avait commandé un café et allumé une cigarette.

Il aspirait sur le petit tube blanc avec force et lenteur et il en tirait de longues fumées denses à travers les narines et la bouche. Il remarqua mon recul face à cet écran blanc et bleu et fit un geste d'excuse en agitant la main.

— J'en consomme quatre à cinq paquets par jour. C'est pas qu'on pouvait pas, là-bas, mais on pouvait qu'à certaines heures et dans certains lieux, alors, depuis que je suis sorti, je n'arrête plus. C'est à peu près tout ce que je fais, d'ailleurs, fumer. Remarquez, j'ai toujours fumé — même avant les événements.

On avait appelé ça les « événements ». Il vaut mieux simplement l'appeler la guerre d'Algérie. Il était du côté de l'armée secrète, je m'étais, lors de mon service militaire, engagé de l'autre côté, croyant à l'indépendance, défendant, à la radio d'Alger et en d'autres endroits plus clandestins, la position du gouvernement de Gaulle. Il n'avait pas parlé sur un ton plaintif, il émettait un constat, s'adressant à moi comme un familier, une vieille connaissance, comme si nous reprenions une conversation entre gens qui ne se sont pas rencontrés depuis longtemps, et dont les premiers mots, en général, sont : « Qu'est-ce que tu deviens ? »

Mais j'ignorais tout de lui, naturellement, avant cet instant dans le restaurant, et l'Algérie, c'était déjà loin. En vérité, je suis malhonnête avec moi-même : c'était « déjà loin » dans le temps et dans le nombre d'années — mais ça ne l'était pas dans mes souvenirs, ni dans le poids de mon expérience. Les feux resteraient toujours mal éteints. Je le sais bien : ils le sont encore aujourd'hui. Le type continua :

— La taule, normal, j'ai payé. Sauf que maintenant je suis dehors, c'est-à-dire en dehors de tout. Je n'ai aucun métier, aucun savoir, aucune référence, à vingt-huit ans, je suis comme un petit vieux en fin de parcours.

— Vous faites plus âgé.

— Ah bon, vous croyez ? Enfin, si, j'ai un savoir — mais celui-là c'est *terminado*, je ne peux plus m'en servir. Ça va comme ça.

J'ai fait un rapide calcul : s'il avouait vingt-huit ans, cela signifiait qu'il n'était qu'un gamin lorsqu'il m'avait « tenu dans sa ligne de mire ». Je n'eus pas besoin de lui poser la question. Avait-il deviné mon interrogation muette ?

— Moi, j'ai été recruté plutôt très, très jeune. On m'a donné une liste avec des noms, quelques indications. On n'a pas eu besoin de m'apprendre à tirer, j'ai toujours su faire ça, tout petit à la chasse avec mon père, avant qu'il meure assassiné par l'autre camp. J'étais doué pour ça. Alors, j'ai basculé chez ceux qui prétendaient être ses amis. On m'a demandé si je voulais m'engager, j'ai dit oui, pas par désir de vengeance, peut-être parce que je voulais défendre quelque chose, peut-être parce que je n'avais aucun projet, aucune envie. J'aimais la plage et les filles, et traîner avec les copains aux terrasses

— mais ça ne suffisait pas, et puis, rappelez-vous, les plages, on pouvait plus beaucoup y aller — les filles, elles foutaient toutes le camp, les terrasses, c'était devenu dangereux. Trop exposés, on était. Je suis rentré dans leur jeu. Ils m'ont donné quelques cibles, infréquentes, pas toujours bien choisies.

— Qui ça, ils ?

— Ben, les vieux, les aînés, les chefs. Je vais pas vous détailler tout ça, c'est derrière moi, j'ai payé, ça va. J'ai même payé cher et pour eux, j'en ai fait dix fois moins qu'eux, mais on m'a pris dans le paquet et j'ai pas voulu me dissocier. Alors vous, vous étiez sur une liste en effet, il y avait votre nom, pas dans les premiers, mais j'avais de la marge et je pouvais sauter une case, en oublier un, en repérer un autre, ça dépendait des circonstances et du temps et des lieux aussi. Les lieux, ça compte beaucoup.

— Vous avez fait ça combien de fois ?

— Euh, je ne veux pas vous répondre, mais beaucoup moins que ce dont on m'a accusé. On m'en a mis beaucoup sur le dos. Ça arrangeait pas mal de gens de me charger. Au procès, j'ai dégusté pour les autres. J'ai pas dit la vérité. J'ai pas envie d'en parler.

— C'est pourtant ce que vous êtes exactement en train de faire ici avec moi.

Il eut un mouvement du corps énervé et brusque, écrasant son mégot dans un cendrier, puis allant chercher une autre cigarette, l'allumant avec un briquet Zippo de métal blanc, dans un geste qu'il avait peut-être capté dans ces films américains doublés, des séries B qu'on projetait encore à Alger, dans le centre-ville, au Debussy, au Régent ou au CinéLux, les deux ou trois salles qui n'avaient pas encore été fermées. Soudain, la juvénilité réapparue lors de son aveu faisait de nouveau place à un comportement de dur, à cette attitude qui m'avait rappelé les types de l'Ouest américain — « *Don't mess with me* », « Faut pas venir me chercher ». J'ai laissé le silence s'installer. S'il avait décidé de traverser la salle pour s'adresser à moi, s'il m'avait aussi longtemps scruté avec cet air narquois, presque supérieur, c'est qu'il avait ses raisons. J'ai attendu. Comme il semblait s'être enfermé dans un silence insatisfait, les yeux perdus derrière la fumée de sa cigarette, j'ai voulu le relancer.

— Toute la soirée ou presque à votre table, vous n'avez pas cessé de vaguement sourire en me regardant. Un peu ironique.

— Je ne sais pas, peut-être.

— Pourquoi ?

— Je ne sais pas, a-t-il répondu avec nervosité, je ne suis pas un intellectuel, moi. J'analyse pas ce que je fais. Je me regarde pas faire.

Il marqua un temps de réflexion, et puis :

— Maintenant, puisque vous posez la question, je crois que je souriais d'abord parce que je cherchais à me souvenir et à vous reconnaître. Je me disais : Je l'ai déjà vu ailleurs, ce type, et ça m'amusait en quelque sorte, et puis après, j'ai vite trouvé, et je vous ai reconnu, et je me suis dit : À quoi ça tient ? et c'est ça qui m'a fait sourire. Ça m'a fait presque marrer, pour vous dire la vérité.

Des rides un peu moins sévères s'étaient dessinées autour de ses lèvres et ses yeux, comme initiées par un rire intérieur. Il accéléra son débit et l'accent pied-noir surgissait avec toute sa musique.

— À quoi ça tient tout ça, hein ? Je me suis dit : Voilà, ce type, je le reconnais, je l'ai eu dans ma ligne de mire et il est là. Il est làààà, il dîne avec des gens, il rigole, il est un peu connu, il écrit, il se montre, on le voit à la télé, il fait le beau parfois, le tzaz, le daza, le schpountz, il s'aime bien, il a pas de vrais problèmes, il s'écrit sa chanson et il se la chante, il commence à signer des autographes, va savoir ? Il se prend peut-être pour une vedette ? Il doit voyager, enfin quoi, il a une vie. Et moi, je sais que ça a tenu à pas grand-chose. Alors c'était pour ça que j'avais ce que vous appelez de l'ironie. À quoi ça a tenu, hein ?

— Eh bien, oui, j'ai répondu, d'accord, à quoi ?

Il semblait agacé et sur la défensive lorsque je l'interrogeais et, en même temps, il paraissait y trouver une sorte de satisfaction, de la complaisance. J'avais appris très tôt, grâce à quelques mentors, l'exercice de l'entretien. Il faut respecter les silences, quitte à les prolonger, car celui que vous interrogez finira par les rompre et ira plus loin, plus profond. Il faut creuser la question par rapport à la réponse donnée, et ne jamais laisser partir le fil et s'égarer en posant une question différente, simplement parce que vous l'aviez programmée auparavant. C'est un défaut des « interviewers » qui ont enregistré leur liste de questions dans un coin de leur tête. Il me semble qu'ils sont guidés par la seule nécessité de les poser, sans admettre qu'une réponse doit être fouillée. Or, il faut forer en eaux profondes. J'aime cette expression. J'ai mis de longues années de pratique pour tenter de forer convenablement en eaux profondes et, lorsque je m'étais retrouvé face au type du restaurant, j'étais loin de prétendre maîtriser cette discipline — mais il ne s'agissait pas d'un entretien professionnel et mes réflexes étaient sans comparaison, plus aiguisés sans doute, plus intimes. J'avais l'impression de plonger brusquement en arrière.

2

Tandis que j'écoutais le type, son accent, cette musique singulière venue de la rue Michelet ou du boulevard Carnot, ces quelques mots qui évoquaient « les filles, la plage, les terrasses » faisaient d'un seul coup surgir tout ce que je croyais avoir oublié et que seules la superficialité et la multiplicité de mes activités du moment avaient provisoirement occulté.

Violemment, étrangement, revenaient en moi les images, les sons, les odeurs, les couleurs de ma vie à Alger pendant les derniers mois qui avaient été les plus dangereux et, donc, les plus marquants. Et comment, face à ces dangers, le triptyque énoncé « filles, plage, terrasses » avait joué un rôle et nous avait permis de survivre dans un état double. D'un côté, nous tentions d'effectuer notre travail sous la menace constante d'un attentat. De l'autre, nous voulions profiter du soleil, du vide créé par le départ massif des pieds-noirs et les attentats quotidiens, pour « avoir la mer rien qu'à nous ». Par ailleurs, nous ressentions bien que tout cela allait disparaître et que nous retrouverions Paris, désorientés, mais libres — tandis que les hommes qui avaient choisi l'« armée secrète » finiraient morts ou en prison. Les quelques rares « filles » qui étaient restées devenaient des beautés, des complices, des sœurs, des mères, très rarement des amantes. J'eus un retour d'images — le souvenir de l'une d'entre elles.

Elle portait un chemisier rose, les bras nus, une jupe bleu marine, et mettait des chaussures blanches. Elle était grande, elle avait un nez mutin, des cheveux coupés à la garçonne, blonds et drus. Je me souvins aussi — toute cette cascade de souvenirs, pendant les silences et les attentes du type en face de moi, ne dura que quelques secondes —, je me souvins du petit jeu auquel je jouais avec cette fille. Nous étions couchés sur le sable de toutes ces étendues jaune et blanc entièrement vides, des plages privées, depuis déjà quelque temps, de tout touriste ou habitant. Quand ce n'était pas Chenoua-Plage, on allait à Fouka-Marine, Cap-Benzerga, Les Dunes, les Tamis, Fort-de-l'Eau — seulement fréquentées par les solitaires, les attardés, les preneurs de risques. On les avait toutes à nous. C'était vertigineux, et parfois effrayant. Il y avait des baraques à frites désertes, des appartements et des barcasses abandonnés, des terrasses silencieuses sous une lumière qui faisait tourner les têtes, comme si on avait bu de l'alcool. On se couchait sur le sable. On ôtait les lunettes de soleil et on fermait les yeux pour sentir les rayons pénétrer nos paupières et jusqu'à quel moment on pourrait résister à la puissance de cette lumière qui rougissait l'intérieur de nos yeux. Lorsque ça devenait trop brûlant, lorsque, les yeux clos, nous n'avions plus que du pourpre presque noir en nous, une incandescence, on ouvrait les yeux, on tournait le dos pour attendre que le calme se rétablisse, inconscients du mal que nous infligions à nos rétines. Un court bain supplémentaire, comme pour se laver de ces brûlures, une course entre le friselis des vagues, la force d'une musique et d'un parfum dont nous savions qu'ils allaient s'évanouir. Sensations perdues, noms à peine oubliés réapparaissaient grâce au tireur assis en face moi, sorti de taule, dans un restaurant parisien, de longues années plus tard.

Maintenant, il parlait sans retenue, mais avec une certaine lenteur mécanique. Il était intarissable. La salle s'était vidée aux trois quarts. Les dîneurs partis, les garçons commençaient à ranger la vaisselle, tournant discrètement autour de notre table, pratiquement la dernière, pour nous indiquer qu'il était temps de quitter l'établissement.

— À quoi ça a tenu, votre vie, hein ? Ben oui, la vôtre ! À quoi ça tient ? En fait, je vous ai eu deux fois dans ma ligne de mire. La première fois, votre voiture allait trop vite, c'était une 404 bleue, c'est bien ça, non ? — et on n'était pas très bien positionnés dans le virage.

— On ?

— Laissez-moi finir. On est jamais vraiment seul sur ce genre de coup, surtout que j'étais très jeune. Il fallait qu'on m'accompagne. La voiture allait trop vite et, à mon avis, le reflet du soleil dans votre pare-brise a brouillé ma vision dans la lunette du fusil. On n'a pas insisté.

Il marqua une petite pause. Lui aussi naviguait dans le passé. Il reprit :

— La deuxième fois, j'étais vraiment mieux positionné, vous étiez assis dans la cour extérieure de l'hôtel Saint-Georges, le coin où il y avait tous les palmiers, en haut du boulevard Bru, donc pas très loin de l'immeuble de la radio où vous faisiez votre petit travail de merde. Et là, réellement, je vous avais très clair dans ma ligne de mire, c'est d'ailleurs pour ça que je vous ai reconnu assez rapidement tout à l'heure, parce que, ce jour-là, j'avais eu tout le loisir de vous identifier. En plus, c'était facile, vous ne bougiez pratiquement pas et vous étiez à table à côté d'un mec plus vieux que vous, du style fonctionnaire à la con, gouvernement et compagnie, un gros bonhomme avec un nœud papillon, des lunettes ridicules. Des cons comme ça, ça s'identifie très vite. J'ai même eu un maton qui lui ressemblait, en taule. Je me suis même demandé si c'était pas le même mec. Mais je vois pas ce qu'il aurait foutu au Saint-Georges. Non, non, ça ressemblait à un de ces sans-couilles en costard qui débarquaient en ville et repartaient très vite, peinards, la trouille aux fesses, pour retrouver bobonne en métropole.

— Vous vous souvenez d'autant de détails, après tant d'années ?

— Oui, et je vous dirais bien pourquoi si vous vouliez bien ne pas m'interrompre toutes les trois minutes. Donc, il y avait ce connard, mais il ne gênait pas mon champ de vision. Il était même pas dans la lunette. Ce jour-là, j'étais seul, j'avais personne en soutien. J'ai pensé qu'il ne me restait plus de temps devant moi parce que la cible allait forcément bouger à un moment donné et on peut pas contrôler ça. Le temps qu'un corps bouge, ça ne se commande pas. J'aurais dû appuyer sur la détente. Je l'ai pas fait. J'ai pas tiré. Me demandez pas pourquoi. Vous êtes le genre d'individu qui demande toujours pourquoi, comme tous les « intellectuels ».

Il disait son fait avec un vocabulaire parfois paramilitaire (« très clair dans la ligne », « personne en soutien ») et parfois plutôt châtié, de la part de quelqu'un qui, vraisemblablement, avait dû abandonner toute étude. Ils avaient oublié le chemin du lycée depuis longtemps, ces mômes — c'était un curieux mélange au sein duquel on sentait sourdre aussi sa détestation des politiques, sa méfiance des individus qui demandent : « pourquoi ? »

Lorsque j'étais parti accomplir mes quatorze mois d'armée pour l'Algérie — le calot cassé sur le front et le paquetage kaki sur le dos —, un ami, qui m'avait accompagné jusque sur le quai de la gare de Lyon en direction de Marseille, où l'on prendrait le bateau, m'avait dit :

— Tu as passé la première partie de ta vie professionnelle, ta vie de journaliste, à rapporter le comment des choses et des événements. Va falloir que tu commences à chercher le pourquoi.

La vie à Alger, la mort de plusieurs amis, les épisodes pénibles en caserne et les trahisons, les loyautés, la beauté des plaisirs éphémères, les dangers qui jalonnèrent mes allers et retours de l'uniforme à la vie civile et de la vie civile au casque léger-casque lourd, les « petites amours en raccourcis » (Paul Fort a écrit une très belle chanson là-dessus), les amitiés détruites, les prises de position politiques, l'affection développée malgré tout pour les pieds-noirs, ce charme auquel on ne résistait pas, contrebalancé par l'idée qu'ils se trompaient de combat, la fusillade de la rue d'Isly (« halte au feu, halte au feu », hurlait un inconnu à l'attention d'un sous-officier qui avait perdu tout sang-froid, je me souviendrai toujours de ce « halte au feu », et de cette voix dont le timbre disait l'immédiateté de la tragédie) et tout le reste, tout, toutes ces choses m'empêchèrent de répondre au souhait exprimé par mon ami sur le quai de la gare : chercher le « pourquoi ». Je n'avais vécu que dans le « comment » et dans le moment. Depuis, je n'ai cessé de poser cette question. Depuis, le « pourquoi » m'est devenu un second moi-même. Au cours des années récentes, j'ai animé une émission de télévision qui a duré cinq ans et dont nous avions conçu, avec le producteur, une construction d'un entretien particulier : la dernière minute débouchait immanquablement sur le mot « pourquoi ». L'astuce — si l'on peut envisager cela comme une astuce — consistait alors à ce qu'à chaque réponse donnée à mon « pourquoi » j'enchaîne systématiquement avec un autre « pourquoi ». Ce stratagème m'avait été suggéré par un collaborateur, plus longtemps auparavant — un homme sans grande qualité, mais qui, au moins, sut me fournir cette idée : « Logiquement, me dit-il, au bout de huit "pourquoi", tu arrives toujours à une réponse sur la vie et la mort. » Il avait tort : au cours de plus de deux cent cinquante entretiens, je n'ai pas forcément abouti à ce résultat, mais je n'ai, aucune fois, reçu la réponse que font les adultes aux enfants quand ceux-ci demandent « pourquoi » et qu'on leur dit « parce que ».

Alors, les enfants répliquent :

— Parce que quoi ?

Les adultes, considérant qu'ils n'ont pas à justifier quoi que ce soit à un esprit vierge et lumineux, verrouillent, se réfugient dans le bien pratique et définitif :

— Parce que quoi ? Parce que.

— J'ignore ce qui s'est passé. C'est pas vous, votre personne qui était en cause, mais j'ai simplement pas pu faire le geste. Je suis rentré chez moi sans y réfléchir et le lendemain j'ai fait mon rapport. J'étais naïf. J'aurais pu mentir par omission ou ne jamais raconter que j'avais pas pu tirer, que la cible ne s'était pas présentée, mais non, j'ignore la raison, je me suis cru obligé de tout leur raconter. Dire la vérité. Je me suis fait engueuler, on m'a retiré toute mission. Quelques jours plus tard, lors d'une descente dans la planque du réseau auquel j'appartenais, j'ai été arrêté bêtement. Je n'avais plus la confiance des responsables et pourtant, comme je ne savais plus quoi faire, j'avais continué à aller les voir pour savoir s'ils n'avaient pas besoin de moi pour autre chose, je ne sais pas, moi, conduire une voiture, passer des messages, quoi. Mais le chef m'avait dit : t'es plus bon à rien, laisse tomber.

Il semblait vouloir s'excuser, se justifier. Il haussa les épaules.

— Sauf que j'étais, comme on dit, activement recherché, avec les autres, et je me suis fait choper en même temps qu'eux, au même endroit. J'aurais jamais dû y remettre les pieds, j'aurais dû prendre la valise, traverser la mer, incognito. Mais je crois qu'ils avaient ma photo et mon nom. Ils m'auraient piqué, un jour ou l'autre. C'était la fin. Y a pas eu de coups de feu, on s'est fait avoir comme des mulots. On était trois, ils étaient vingt ou vingt-cinq. Après... le transfert en métropole, les jugements, la taule, ça vous intéresse pas, c'est pas ça que vous voulez savoir.

— Ah bon ?

— Non, je vois très bien ce qui vous intéresse, c'est le pourquoi. Je ne sais pas, s'il y avait eu quelqu'un d'autre que vous dans ma ligne de mire, n'importe qui d'autre, j'aurais eu la même incapacité de tirer. Ça s'est arrêté d'un coup, ça devait correspondre à quelque chose, je ne sais pas quoi, je vous ai dit que je ne me regarde pas vivre. De toutes les façons, on sentait bien que c'était fini. Je vous dis que le seul mot que j'ai trouvé, c'est basta, j'arrête. Vous vous souvenez d'Alger à ce moment-là ?

— Ah oui, ça je m'en souviens !

— C'était plus rien. On n'était plus chez nous, il y avait toutes les femmes, les gosses et les vieux qui partaient, les bateaux qui débordaient de gens au port, les files de bagnoles sur la route de l'aéroport, la valise ou le cercueil.

Il se tut soudain, alluma une nouvelle cigarette. Sans doute estimait-il qu'il avait trop parlé. On eût dit qu'il avait fugitivement éprouvé l'envie de partager avec moi les souvenirs des derniers mois avant l'indépendance officielle, le centre-ville en proie aux ultimes sursauts de l'OAS, les actions absurdes et sanglantes de ses aînés, les villas que l'on désertait, et, cependant, dans certains coins préservés comme ce Saint-Georges où il m'avait pisté et repéré, où l'ombre lourde des grands palmiers pesait sur nous, un semblant d'activité entre ceux qui passeraient le pouvoir et ceux qui allaient le prendre, et puis les inconscients qui, comme moi, profitaient du vide des routes, des quartiers et des collines, pour aller entre deux séances à la radio, à vitesse accélérée, vitres ouvertes, se baigner et se bousiller les rétines.

Tout cela se bousculait dans ma mémoire, et j'aurais pu moi aussi, peut-être, tout jeter sur la table du restaurant et trier avec lui, avec ce vieux jeune homme en face de moi — mais nous étions tous les deux retenus par ce qu'il ne disait pas de son passé, les actes qu'il prétendait avoir exécutés et que j'avais aisément devinés —, tout ce qui nous avait opposés des deux côtés d'une barrière. Il y avait trop de non-dits, on marchait sur de la glace. J'avais bien compris leur refus d'accepter l'inéluctable mais j'avais détesté leurs méthodes et je les avais combattues. J'aurais dû le détester, lui aussi, mais je ressentais une curiosité, sans aucune compassion, et je portais, avec le recul des années qui nous séparaient de tous ces « événements », le savoir d'autres atrocités qui avaient suivi celles que son propre camp avait perpétrées.

J'essayais plutôt de déterminer, ou discerner, à quoi il avait pu ressembler avant que son temps en prison n'ait imprimé sur son visage les rides, les expressions, l'amertume aux coins des lèvres minces qui me l'avaient, dans ce restaurant parisien bruyant et festif, fait vite apparaître différent des autres convives — la pâleur, le cheveu ras, un gris presque bleu cendré sous les yeux, les habits d'emprunt. À vingt-huit ans, il avait l'air d'un vieux, en effet, et ce que j'avais pris pour de la dureté, comparable à celle des *tough-guys* du sud-ouest du Colorado, dissimulait probablement fragilité et incertitude, culpabilité et mauvaise conscience. Avait-il arboré à une étape quelconque de sa courte période innocente la nonchalance et l'insolence naturelle des jeunes gens algérois qui faisaient les beaux, à midi, aux terrasses du RUA, de l'Automatique ou de la Cafétéria, en sirotant des perroquets, bercés par l'illusion que leur vie se déroulerait dans un été permanent ? Avait-il fréquenté les mêmes filles que nous ?

3

J'ignore pourquoi j'utilise ce terme : « fille », car il a perdu une partie de son sens. Jusqu'à un certain moment du siècle dernier (je serais incapable de le situer, aux environs des années soixante-dix, peut-être), il n'y avait rien de péjoratif à appeler « fille » une jeune femme dont l'âge tournait autour de vingt ans, un peu moins, un peu plus. Une « fille » n'était plus une « jeune fille », puisqu'elle avait déjà connu l'amour. Mais elle n'était pas encore « jeune femme », car elle n'avait pas encore défini un rôle — professionnel ou privé — qui puisse la rendre « femme ». L'usage du terme tenait à des nuances subtiles et superficielles. Il a peut-être été dû à sa fréquence dans les chansons du tout début des années soixante : « Oh ! les filles », « Cette fille-là, mon vieux, elle est terrible », « J'aime les filles de chez Castel », et, bien entendu, « Tous les garçons et les filles de mon âge ». Lorsque nous nous sommes retrouvés sous le soleil d'Alger, nous avons connu des « filles » dont nous ne souhaitions pas qu'elles deviennent des « femmes » parce que, en réalité, nous refusions de vieillir. La guerre s'en est chargée pour nous.

Avec sa haute taille, ses épaules de championne de natation, la fille en jupe bleue et chemisier rose, qui marchait les bras nus, faisait plus femme que les autres. À la différence de celles que nous pouvions croiser dans les couloirs de l'immeuble du boulevard Bru ou dans les quelques restaurants encore ouverts en bas de la ville, elle paraissait plus mûre, plus sérieuse. Une sagesse, acquise je ne sais où, traversait parfois son front, semblant le recouvrir d'un voile. Sa démarche dégageait de l'autorité, équilibrée par le mouvement léger de son corps, une grâce naturelle. J'avais appris qu'en dehors de ses heures comme responsable des bulletins d'information du petit matin, elle allait donner un coup de main à une amie dans une garderie d'enfants, annexe de l'hôpital Saint-Vincent, dans le quartier Belcourt, où l'on soignait les parents de civils qui avaient été blessés lors d'attentats — des pieds-noirs comme des Arabes. Elle en revenait vers midi. Elle penchait sa tête aux cheveux courts, d'un blond clair teinté de roux, dans l'entrebâillement de la porte du bureau que je partageais avec deux autres garçons, détachés comme moi de l'armée, pour tenir la radio et sa salle de rédaction. Elle me disait : « On y va ? » Je me levais tout de suite, laissant tomber le travail et les copains. On partait à toute vitesse en direction des plages. Elle portait toujours son maillot de bain sur elle, un une-pièce de couleur orange. On faisait tout très vite. On s'étalait très vite sur le sable, après avoir très vite nagé. Le soleil tapait si fort, le temps de jouer notre jeu absurde, de se brûler un peu les yeux, les maillots avaient déjà séché. On pouvait repartir, aussi rapidement qu'on était venus. La parenthèse était fermée.

Je me demandais si elle compensait, par cette brève évasion vers la mer et le soleil, la discipline avec laquelle elle pratiquait son bénévolat dans l'annexe de l'hôpital Saint-Vincent. Si elle ne cherchait pas à retenir, avant qu'elle ne s'échappe définitivement, l'insouciance d'une jeunesse dans son pays natal, cette terre dont tout le monde autour d'elle savait qu'il faudrait bientôt l'abandonner. Elle en parlait peu. Elle était affligée d'un léger tic verbal qui lui faisait très souvent utiliser l'adverbe « maintenant ». J'associe cet adverbe aux moments que nous avons passés sur les plages vides de Cap-Caxine, Retour-de-la Chasse, Aïn-Taya. On les essayait toutes : Miramar, Prado-Plage, Suffren, La Pérouse, Pointe-Pescade. J'ai déjà cité plusieurs noms, il y a seulement quelques pages, leur musique est si puissante qu'elle revient, lancinante, évocatrice d'un tournant de ma vie. Ils sonnent encore en moi, tous ces noms, comme les rappels de ces instants volés, ces émotions courtes, ces parfums et ces couleurs disparus, et pour chaque plage, pour chacun de ces bonheurs fugitifs et qui ne se reproduisent pas, il y avait ce tic verbal, la litanie de la fille aux bras nus :

— Maintenant, je me baigne.

— Maintenant, on se sèche.

— Maintenant, on rentre.

— Maintenant, je m'étends.

« Maintenant, je m'étends. » Ces trois mots, elle les prononça la seule fois où elle accepta de venir dans le studio provisoire qui m'avait été laissé par un ami, déjà reparti pour la métropole.

Je changeais régulièrement de domicile, par précaution. En général, je me déplaçais dans le même quartier — les logements se vidaient de façon très fréquente. Il était facile de récupérer une piaule, ou bien un petit deux-pièces. On ne payait aucun loyer, à peine savait-on qui était le propriétaire. Gros-Minet, l'un des deux « gorilles » chargés de nous protéger, m'avait confié un Beretta que je portais sous la veste, à même la ceinture. Je ne m'en suis jamais servi. Mais le seul fait de se déplacer dans une ville avec un pistolet sur soi donnait la sensation de ne pas appartenir à la catégorie dite « normale » des individus. Je crois, aussi, avec le recul du temps, que cela me procurait le sentiment, risible, d'interpréter un rôle dans un film. On peut se faire son cinéma au sein même d'une réalité et d'un danger. Je dois l'admettre aujourd'hui. C'est l'impunité et l'innocence de la jeunesse qui m'ont, à l'époque, permis de vivre cette ambiguïté, ce curieux mélange de réalité et d'imitation du réel. Nous fûmes quelques-uns à vivre de cette manière. Cette existence de nomade ne me déplaisait pas. Alger et la guerre m'avaient fait perdre tout sens des racines, tout désir de m'installer, me « poser », comme on dit aujourd'hui. Je me comportais comme l'auto-stoppeur qui va de bagnole en bagnole, de route en route, de ville en ville. Nous allions de lits de passage en hébergements provisoires. Ça me rappelait un peu l'Amérique de mes dix-huit ans. À cette différence près que, ici, il y avait toujours la possibilité de la mort au bout du couloir — ou à travers les vitres d'une véranda.

Un jour, nous revenions de Chenoua, le bain avait été délicieux, le soleil féroce, et j'avais suggéré que l'on repasse chez moi pour prendre une douche avant de rejoindre l'immeuble de la radio.

Quand elle sortit, rhabillée, de la salle de bains, elle tenait son maillot à la main. Elle le déposa sur le dos d'une chaise en bois. Il était facile de comprendre qu'elle était nue sous sa jupe et son éternel chemisier rose. Elle s'est avancée vers un large canapé recouvert de toile jaune qui, à lui seul, occupait presque tout l'espace du studio et me servait de lit quand je m'efforçais, en vain, de chasser les insomnies ou lorsque j'entendais, par la fenêtre, des pas crisser dans la ruelle, et j'en avais peur. Elle dit, tout en le faisant :

— Maintenant, je m'étends.

J'ai attendu, puis je me suis allongé près d'elle. Du temps a passé. Nous ne bougions pas, nous avions retrouvé la même position de corps que celle que nous adoptions sur les plages, côte à côte, très proches, mais sans s'effleurer. J'ai senti mon souffle s'écourter et une légère accélération de mon rythme cardiaque. Elle a dit :

— Ne fais rien.

Un silence, puis elle a poursuivi :

— J'ai rencontré quelqu'un.

J'ai dit :

— Je n'avais pas l'intention de te toucher.

Je me suis tourné vers son profil. Elle avait fermé les yeux. Quand elle les ouvrit, je saisis cette expression de gravité qui me l'avait fait distinguer parmi toutes les autres filles. Une infime strie rouge, comme si un vaisseau avait éclaté sous la violence du soleil, loin de contrarier la pureté de son regard, le rendait plus profond et plus beau. Elle avait de grands yeux brun foncé, en amande. Ses lèvres ont esquissé un sourire.

— Maintenant, on s'en va.

Nous avons continué d'aller ensemble vers la lumière brûlante du soleil et la trompeuse tranquillité de la mer turquoise, chaque fois que les conditions de circulation nous le permettaient, jusqu'à ce que je monte dans l'avion du grand retour, aller simple pour Paris. Je n'ai jamais revu celle que j'appelais, en me moquant, Mademoiselle Maintenant. Les amours inaccomplis sont parfois plus mémorables que ceux aux gestes achevés.

4

Nous sommes sortis du restaurant, il se faisait tard. Sur le trottoir, le type me dit qu'il s'appelait Richard mais qu'il répondait depuis longtemps au sobriquet de « Ricardo » et, souvent même, « Rick » tout court, « à l'américaine », ajouta-t-il avec dérision, l'accent volontairement exagéré, la musique pied-noir de Bab el-Oued : « à l'américaaaaine »... Sur les lèvres fines, dans les yeux sombres, sur le visage sans couleur était furtivement passée une lueur gamine et je pouvais imaginer ou reconstituer la façon dont ces garçons s'interpellaient entre eux, du temps de leur adolescence. Je croyais presque les entendre :

— Eh, oh, Rick, où tu vas, là ? Eh, oh, tu viens, Rick ?

Puis il se referma. Comment une seule heure face à face avec cet égaré avait pu autant me faire revenir en arrière ? Les souvenirs effacent le présent. Faulkner a écrit : « Le passé n'est pas mort, il n'est même pas passé. » Je venais encore une fois d'en vivre la preuve. Cependant, je n'allais pas citer Faulkner à ce Rick, à propos duquel j'hésitais entre approfondir une relation ou m'en écarter soigneusement. Tâcher de mieux le connaître et le comprendre, ou refuser tout dialogue au nom des crimes qu'il prétendait avoir commis.

Il demeurait immobile, debout sur le trottoir, au coin de la rue Marbeuf et de la rue François-Ier, clope au bec, l'air insatisfait, avec son allure d'étranger dans la ville, désœuvré, solitaire. Indifférent au confort de l'époque, la prospère et bruyante fin de cette décennie, les fameuses sixties, les glorieuses. En réalité, il purgeait encore sa peine. Réfléchissait-il à l'absurde combat au sein duquel les « vieux » l'avaient entraîné ? Il a fini par sortir de son mutisme et a fait un salut de la main.

— On se reverra peut-être.

5

Rick ne se trompait pas. Je devais brièvement l'apercevoir une ou deux fois, après qu'il eut trouvé un emploi comme assistant de deux cameramen *freelance* — des jumeaux très doués qui parcouraient le monde et les sixties et seventies en toute liberté, vendant leurs reportages aux plus offrants. Ça se passait comme ça à l'époque : on pouvait vivre de cette manière. Il suffisait de frapper à la bonne porte : ils étaient quelques reporters, des vrais allumés, qui refusaient d'appartenir à une rédaction et qui vendaient leurs images aux télés américaines, anglaises ou à « Cinq colonnes à la une ».

Les jumeaux en question étaient deux garçons généreux, un peu fous, et qui savaient aussi bien suivre Arthur Rubinstein dans les coulisses d'une salle de concert à Londres que passer trois semaines au sein d'une unité héliportée de Marines US. La guerre du Vietnam avait en effet constitué pour eux un relais idéal après l'Algérie. Pour ce genre d'hommes, il fallait toujours qu'il y ait une guerre quelque part et alors les jumeaux débarquaient, les frères Gustavson, on les appelait les Gus, forcément — c'était une abréviation à connotation très militaire. Il existait une complicité non dite, ou plutôt une reconnaissance immédiate entre ceux qui avaient vécu un conflit armé et les autres — soit comme acteurs, soit comme témoins. C'est sans doute pour cette raison que les Gus avaient adopté Rick. Il ne leur avait pas caché ses antécédents. Les Gus lui avaient dit :

— On a besoin d'un grouillot, t'es disponible ?

Il avait répondu :

— Vous savez qui je suis ?

— Bon, et alors ? Maintenant tu nous suis et tu nous aides, tu y gagneras un métier. Ton passé, c'est derrière toi.

J'avais appris leur choix par hasard et cela m'avait étonné : j'avais connu les Gus à Alger. Ils avaient le cœur large et des amis de chaque côté. Je savais qu'une nuit de grande panique, à Alger, ils avaient abrité deux militants algériens menacés de mort par l'OAS — cette même armée pour laquelle Rick avait travaillé, une armée dont les Gus connaissaient bien certains soldats. Ils se disaient « objectifs ». Pour eux, les soldats de chaque camp avaient eu leurs raisons d'agir comme ils l'avaient fait. En ce sens, ils reproduisaient la fameuse phrase de Jean Renoir (« l'ennui, c'est que tout le monde a ses raisons »), même s'ils l'ignoraient, car la culture n'était pas leur fort.

J'aimais bien ces deux géants blonds, aux épaules carrées, à la démarche chaloupée, au sourire presque insupportable à force d'être aussi constant, toujours inscrit sur leurs belles gueules de bébés nordiques. Ils étaient amoureux de l'image et du journalisme de terrain, habités par l'inconscience de leur âge, aveuglés par la certitude de leur propre immunité. Gus n° 1 avait osé dire un jour à un colonel du 2e RIMa, qui l'engueulait pour s'être trop rapproché d'une ligne de feu dans les Aurès : « Moi, les balles, elles me contournent. » À quoi Gus n° 2 avait ajouté : « Moi, j'ai un deal avec elles. J'ai passé un contrat avec la mort. » La formule avait fait le tour des casernes et des salles de rédaction. À peine âgés de vingt-cinq ans, les Gus étaient devenus des légendes.

Je tombe sur eux, un jour, au comptoir du bistro tenu par le bougnat de la rue de l'Université, au coin de l'avenue Rapp, à deux pas de Cognacq-Jay, où nous nous croisions tous à l'époque. Je dis à Gus n° 1 :

— J'ai appris que vous faites bosser Rick. Vous savez qui vous avez engagé, tout de même ? Vous savez d'où il vient, et ça vous gêne pas ?

Gus n° 2 :

— Y a prescription, mon pote. Et puis, Rick, tu sais, on lui en a beaucoup mis sur le dos — il a payé pour d'autres. On s'est renseignés un petit peu.

Moi :

— On va pas à Fresnes pour rien, quand même, les gars.

Gus n° 1 :

— Peut-être, mais c'est fini. C'était un gamin. Il savait pas ce qu'il faisait. En taule, il a réfléchi. C'est plus le même mec.

Gus n° 2 me regarde avec ce sourire quasi béat dont je n'ai jamais pu deviner, lorsque je pense à eux et à cette phase de ma vie, s'il était imbécile ou terriblement roublard.

— Mais pourquoi tu nous en parles comme ça ? Il s'est passé quelque chose entre vous ? Tu l'as connu là-bas ?

Je n'ai pas répondu. Je n'ai pas parlé de la « ligne de mire ».

Rick dormait chez eux. Il couchait dans l'antichambre de leur appartement, avenue Rapp, sur un sac de couchage. Au début, il n'avait pas un rond, à peine de quoi acheter ses clopes. Les Gus auraient pu se débrouiller sans lui, car ils étaient autonomes — quand l'un faisait le son, l'autre faisait l'image, et ils inversaient les rôles sans difficulté. Mais enfin, les accessoires n'étaient pas aussi rapides, miniaturisés, numérisés qu'aujourd'hui et un assistant « démerdard » arrangerait bien les choses. À eux trois, ils réussirent à former un *team* encore plus efficace qu'auparavant. Car Rick se révéla rapidement un excellent « éclaireur », un débusqueur de sujets chauds, proposant possibilités d'images fortes, habile sur le terrain, dépourvu de toute crainte, allant au risque avec une sorte de plaisir, à l'aise dans les rues de Saigon ou sur les sentiers solitaires près des lignes de combat avec le Viêt-cong, et dans les bases militaires US qu'il adorait. Lorsqu'ils s'embarquaient sur les hélicos des Marines, un de leurs exercices favoris, pour couvrir cette « putain de guerre », que Michael Herr, le génial correspondant de *Esquire*, raconterait plus tard dans *Dispatches* (la drogue et ses mensonges, les désespoirs, la marche inéluctable de l'échec américain), les Gus s'acharnaient à rivaliser avec leurs confrères américains et les devançaient sur certains coups. Comme les trois quarts de leurs contacts parlaient français, ils obtenaient souvent des scoops et franchissaient des territoires interdits aux Américains. C'est ainsi qu'ils disparurent un jour, après avoir annoncé qu'ils partaient « vers le Nord » et qu'il ne fallait pas s'inquiéter. En réalité, ils avaient réussi à se faire accepter de l'autre côté et avaient réussi à intégrer une unité viêt-minh, avec Rick en soutien à leur côté.

Formidable exploit : ils reviennent, chargés d'images exclusives, empruntant les mêmes voies et les mêmes filières clandestines vers Saigon. Ils traversent la ligne qui les séparait des forces américaines et se retrouvent sur une route avec une unité de Marines de retour d'expédition quand ce que l'on appelle pudiquement un « tir ami » straffe et déquille cinq soldats US et les Gus. Les deux enfants blonds meurent dans les bras de Rick qui en sort vivant, sans une égratignure.

Il rentre à Paris, porteur des images inédites des Gus : huit jours et huit nuits de la vie quotidienne dans une section avancée du Viêt-minh. Document à sensation. Il transmet le tout à l'agence avec laquelle les Gus travaillaient habituellement, laquelle organise une projection privée avant la diffusion du document sur « Cinq colonnes à la une ». Mon téléphone sonne. Je crois reconnaître une voix à l'accent pied-noir :

— C'est Rick. On m'a suggéré de vous inviter à la projo du docu des Gus.

— Qui ça ?

— Darmas, le patron de l'agence. Il m'a demandé de faire le tour des vrais amis des Gus. C'est demain matin, onze heures, salle de projo du rez-de-chaussée, à Cognacq-Jay.

J'hésite. Je n'ai jamais voulu côtoyer Rick depuis notre rencontre. Les Gus avaient eu beau me dire : « C'est du passé, tout ça », pour moi il représentait le souvenir d'une période d'horreur et d'une violence aveugle. Mais il y a cette invitation de Darmas. C'est un type que j'aime bien. Un ancien photographe de presse, rond, bâti comme une toupie, tout mince en bas et tout gros en haut, la cinquantaine, le crâne chauve et le nez pointu, un mariolle, un roi de la négociation. J'imagine qu'il a très bien su monnayer le docu des Gus. Je décide d'aller à Cognacq-Jay le lendemain matin.

Darmas se tient debout dans la petite salle, devant l'écran, Rick à ses côtés. Il prononce quelques mots et donne rapidement la parole à Rick. Je ne l'avais pas revu, en réalité, sinon entrevu dans les couloirs de la télé. Quand nous nous croisions, nous échangions un regard sans hostilité, sans connivence, sans indifférence non plus. Il y avait cette « ligne de mire » entre nous. Il n'a pas changé, même maigreur, même allure sans âge, mais une peau plus tannée, du cuir brun. Il bredouille, bégaie et dit qu'il n'est pas doué pour « faire des speechs ». L'accent pied-noir est toujours là. Mal à l'aise, emprunté, il évoque les images des Gus en disant qu'elles suffiront d'elles-mêmes. Et il ajoute qu'il a eu beaucoup de chance.

— Je ne sais pas ce que je vais faire sans eux. Mais je pense que c'est le cas pour beaucoup de ses amis ici.

Il trébuche encore sur les mots. On dirait qu'il est ému. Je crois deviner un sanglot étouffé dans sa gorge. Puis il se tait et se détache de l'écran pour aller se réfugier au fond de la salle. Au passage, il me lance un regard, comme un semblant d'excuse dans ses yeux noirs.

Il y a foule dans la petite salle. Quelques journalistes spécialisés de la rubrique télévision, mais surtout des confrères des Gustavson — bataillon hétérogène de grands reporters, chasseurs d'images, monteurs et techniciens. J'ai du mal à m'installer quelque part. Toutes les places sont déjà prises. J'en vois une, inoccupée, au cinquième rang. Je m'assieds à côté d'une inconnue, une jeune femme au visage limpide et au nez mutin, une beauté lumineuse. Nous nous présentons l'un à l'autre. Elle est réalisatrice et me dit qu'elle a bien connu les Gus. Elle deviendra la femme de ma vie, la mère de mes enfants.

6

Ainsi, par ce que l'on appelle un « concours de circonstances », l'homme qui avait prétendu m'avoir eu dans sa « ligne de mire », et m'avait répété « à quoi ça tient les choses », aura été celui qui, sans qu'il le sache, me permit de rencontrer la femme dont l'amour constitue un des tournants les plus décisifs de mon existence.

J'ai commencé ce récit par une définition banale et incomplète de l'élément inconnu qui change le cours des choses. Deux éléments inconnus traversent cette histoire. Premier élément : ce que Rick n'avait pu définir, mais qui l'empêcha de tirer. Si je dois croire Rick. Car, après tout, c'était peut-être un mythomane, mais enfin, il était tellement précis sur ma présence dans la lunette de son fusil dans les jardins du Saint-Georges, il est difficile d'imaginer qu'il ait tout inventé, un soir dans un bistro, pour faire l'avantageux parce qu'il m'avait vu à la télévision. Donc, Rick ne tire pas, pour cause d'élément inconnu.

Et puis, voici, jouée à distance, la deuxième musique du flûtiste invisible : de longues années plus tard, le chemin professionnel suivi par l'ancien tireur d'élite débouche sur une séance de projection au sein de laquelle est présente une inconnue qui va changer ma vie.

J'aurais pu, aussi, ne pas m'asseoir à côté d'elle.

Il s'est trouvé qu'il y avait un fauteuil libre.

LE REGARD DE TOMA

1

Souvenirs de la dépression :

Lorsque j'étais au plus mal du plus mal, je ne voyais plus les gens. Je regardais encore ma femme et mon fils (ma fille, par chance pour elle, étudiait à l'étranger, et n'aura pas connu de trop près cette dévastatrice scène quotidienne d'un homme en lambeaux, qui ne ressemble plus à celui qui était son père) — je les voyais encore tous les deux puisque je cherchais dans leurs yeux un réconfort, une réassurance dont, de toutes les manières, je ne parvenais pas à profiter. Pour le reste, je ne voyais plus personne. Le déprimé ne voit rien et ne retient rien d'autre que l'image de sa détresse, l'autoportrait de son autodestruction.

Les gens, il faut les regarder, il faut tenter, non pas forcément de les aimer, mais de les connaître et les comprendre. Ce qui se passe dans leurs yeux, ce qui s'inscrit sur leurs visages permet de saisir à quel point ils nous ressemblent ou de deviner à quel point ils sont différents. Et comment on peut essayer de discerner l'élément inconnu qui leur a donné ce regard, ce visage, ces rides, ce sourire.

Ainsi je suis toujours surpris, lorsque nous nous rencontrons, et cela m'arrive souvent puisqu'il est mon voisin d'immeuble, du sourire presque permanent dans le regard de mon ami Toma. C'est le sourire du survivant. Il est bienveillant, parfois ombré de tristesse.

2

Il s'est enfui de Debrecen, à travers le Budapest de la Hongrie soviétisée en 1956, alors que, jeune étudiant, on l'avait identifié comme « inintégrable au régime » et envoyé, au titre du service militaire, dans une mine de charbon. Il parvint à en sortir à la faveur de la révolution de 1956 et, comme quelques-uns de ses amis, il réussit ensuite à s'évader de son pays-prison, après avoir rampé dans la glaise et la boue, dans les profonds sillons des champs labourés de la campagne hongroise, vers la frontière autrichienne, c'est-à-dire vers la liberté.

Avec lui, un guide et deux compagnons de désertion. S'ils sont rattrapés, ils seront jugés comme déserteurs. Ils ne sont plus qu'à cent cinquante mètres de l'autre côté où les attendent des soldats hongrois qui, eux-mêmes, ont choisi de fuir, quand d'autres soldats se contentent de faire des allers-retours pour aider les fuyards. Il existe tout un réseau de passeurs — paysans, soldats, frontaliers, conducteurs bénévoles d'autocars anonymes. Toma est tout près de franchir l'espace qui le mène, lui et ses compagnons de fuite, de la répression vers la liberté.

Or voici qu'une patrouille russe surgit, une jeep équipée d'un puissant projecteur dont le faisceau transperce la nuit et explore avec méthode les champs et les sillons. Toma, le guide et ses deux amis se plaquent immédiatement au sol. Ils enfoncent leurs corps et leurs visages le plus profondément possible dans les longues tranchées parallèles ouvertes dans la terre par la charrue des paysans.

Toma raconte :

« Respiration bloquée, nous attendons. J'ai l'impression que nos battements de cœur doivent être parfaitement perceptibles. Le serpent lumineux du projecteur n'est plus qu'à quelques mètres de nous. À cet instant, mon regard effleure le corps immobile de mon voisin, dans le sillon parallèle au mien, et je prends brutalement conscience de notre incroyable stupidité. L'imperméable de D., notre compagnon numéro deux, est de couleur gris clair, presque blanc. Nos propres manteaux, gris très fumés ou même noirs, ne sont pas visibles à cette distance, mais le sien va certainement apparaître dans la lumière de la jeep avec une extraordinaire clarté : en un centième de seconde, je comprends qu'il ne nous reste qu'une seule chance. Je projette alors mon corps du sillon où je me trouve dans le sillon de mon voisin. Je m'allonge sur lui de toute ma longueur, comme si je tentais de l'enfoncer dans la terre. Nous ne formons plus qu'un seul corps, une masse sombre, encastrée dans la glaise. Le faisceau arrive sur nous. J'ai l'impression qu'il s'attarde, mais l'obscurité revient rapidement, cela a duré à peu près trente secondes, et m'a semblé une éternité. On entend la jeep redémarrer, s'éloigner. Il nous faudra une longue minute pour esquisser quelques gestes et nous relever prudemment. Mes deux compagnons et le guide font alors une sorte de courte danse, comme des Indiens, autour de moi, en guise de félicitations. Quelque temps plus tard, nous aurons atteint une ferme, de l'autre côté du no man's land, où nous allons entendre parler une autre langue que la nôtre, l'allemand. Cet allemand qui, dix ans auparavant, était la langue de la terreur, est devenu la langue de la liberté. Elle sonne comme une musique de joie, celle de la délivrance. »

La décision de Toma qui le pousse à se projeter sur l'imperméable trop clair de son compagnon ne relève aucunement de cet « élément inconnu » que je me suis évertué à identifier au fil de ce livre. Il s'est agi d'un réflexe, d'une intuition, l'instantané du danger qui vous pousse à trouver, en un court laps de temps, une réponse pour éviter le pire. Toma et son instinct ont déterminé sa liberté. Depuis l'Autriche, il sera transporté en France, hébergé à Noël 1956 à la Cité universitaire de Clermont-Ferrand. Une bourse du gouvernement français lui permettra de poursuivre et terminer ses études. Il entre rapidement dans l'univers de la banque où il passera trente-cinq ans. Il deviendra un banquier reconnu. Il sera vite naturalisé, connaîtra une carrière réussie et accomplie, en province et à Paris. Sa vivacité d'esprit, sa capacité d'analyse feront de lui une personnalité reconnue et respectée dans les cercles de l'économie, la banque, la finance. Il se mariera, aura un enfant, divorcera, se remariera — bref, une vie comme celle de tant d'autres.

Très bien. Mais la musique du flûtiste invisible s'est fait entendre beaucoup plus tôt dans l'existence de Toma le survivant. Plusieurs éléments, en réalité, ont fait tourner sa vie, et l'ont surtout sauvée, sauvegardée.

3

« Nous habitions en Hongrie, à Debrecen. J'y suis né en 1935. Mon père, assez religieux, m'inscrit à la mairie sous le prénom d'Abraham. Ma mère, fille d'un grand négociant juif de Budapest, qui lui a déjà donné un garçon et deux filles (je suis le petit dernier), l'interpelle :

— Tu es fou ? Tu vois ce qui est en train d'arriver ?

Nous ne sommes qu'en 1935, mais ma mère a déjà bien vu et compris qu'il se passe quelque chose de terrible en Europe. C'est une femme attentive, méfiante, observatrice, informée, elle possède un jugement, une sensibilité qui lui font prévoir que pour les juifs, hongrois ou autres, il va se passer quelque chose d'encore plus terrible que ce qui s'est déjà déroulé depuis le début des années trente. Alors elle fustige mon père :

— Tu vas retourner immédiatement à la mairie et tu vas faire effacer ce prénom trop évident, trop voyant. Abraham ? Mais tu n'y penses pas !

Mon père est reparti dare-dare à la mairie, est parvenu à faire supprimer ce prénom pour le remplacer par un autre, plus banal et plus courant : Toma.

En 1944, les déportations systématiques sont organisées à vitesse accélérée. Nous avons été expropriés, chassés, expulsés de chez nous. En peu de temps, nous sommes passés du statut de bons bourgeois de Debrecen à celui de sans-abri aux mains de forces allemandes qui ratissent tous ce qui est juif pour en faire des victimes ou des esclaves. Tous nos biens ont été confisqués. Nous nous déplaçons avec des baluchons, des ballots, des valises à la main. Nous allons bientôt être regroupés, à la suite de la fermeture du petit ghetto, dans un grand ghetto. On se nourrit tant bien que mal, on dort par terre, sur des coussins qu'on a emportés avec nous. On nous déménagera ensuite ailleurs. Errance permanente. Mon père a été emmené par les Allemands depuis déjà quelque temps pour travailler — où ? nous l'ignorons. C'est l'été. J'ai huit ans et demi. Nous avons été transportés dans des camions, nous n'avons plus de foyer, aucune attache. Nous finissons par nous retrouver, regroupés avec des centaines d'autres, dans une grande usine qui fabriquait des briques — non loin d'un embranchement ferroviaire d'où partent, chaque jour, des convois vers la Pologne et les chambres à gaz. Mais l'enfant que je suis ne le sait pas. Après des allers et retours, montées et descentes de camions, nuits provisoires dans des lieux sans lumière ni chaleur, nous croyons, installés dans cette usine, que nous y avons trouvé une sorte de domicile éphémère.

Je ne sais pas que l'application de la Solution finale en Hongrie aura fait exterminer 420 000 juifs sur les 650 000 partis pour les camps. Je ne sais même pas ce que signifie le mot "camp de concentration". J'apprendrai tout cela un peu plus tard, petit garçon devenu trop vite jeune adulte. Mais pour l'heure, lorsque j'entends partir les trains et quand je les vois, rien ni personne ne me dit où ils vont et ce que l'on fera de ceux qui y ont été entassés. En revanche, ma mère, toujours aussi vigilante, en sait sans doute beaucoup plus que nous tous, mais elle ne se livre pas trop. Depuis que le père est parti, son seul combat consiste à nous protéger. Notre seul bien, ce sont nos baluchons, chacun le sien.

Nous vivons agglutinés dans la briqueterie, sans autre perspective que la certitude qu'un matin nous aussi serons dirigés vers les wagons à bestiaux qui vont je ne sais où. Les noms d'Auschwitz et de Birkenau ont été prononcés, car toutes informations, dans un milieu ou un autre, finissent par filtrer et se répandre. Les grandes personnes savent ce que veut dire le nom d'Auschwitz, même si elles ignorent le destin final de ceux qui y sont transportés. Ce n'est pas pour un enfant de huit ans et demi que tout cela signifie quelque chose. D'autant que je parle peu, communique à peine avec les autres gosses de mon âge. Il m'arrive de me plaindre, comme tout enfant de mon âge. Je vais me plaindre au moins une fois de trop, celle qui va nous sauver. »

Au premier étage de la briqueterie, il y avait un grand espace ponctué de larges cavités à l'intérieur desquelles on faisait sécher les briques. Ces sortes de grands trous carrés servaient dorénavant de logis. À chacun son refuge, sa minuscule portion d'espace où Toma, sa mère, son frère et ses sœurs croupissaient en attendant que leur sort soit décidé. Voici qu'au cours d'une nuit d'été, un orage éclate. Plus violent qu'un orage, un véritable déluge. Le petit garçon n'avait encore jamais vu tomber une pareille masse d'eau. Comme un torrent venu d'en haut, venu de ce ciel qu'il n'avait pas eu récemment beaucoup loisir d'admirer, cette vaste étendue bleue et opaque la nuit, blanche le jour, tellement la chaleur transformait couleurs et sensations. Ce ciel, qu'il n'avait aucune raison d'aimer ou d'implorer. La pluie avait rapidement pris possession des hangars et des bâtiments qui abritaient les juifs en transit. La briqueterie avait paru moins vulnérable que d'autres lieux mais ses toits, déjà en partie délabrés, ses parois qui n'avaient plus été entretenues, laissèrent l'eau envahir et inonder peu à peu les étages.

Ça coulait, ça dégoulinait, ça ruisselait et, bien que l'orage eût cessé aussi brusquement qu'il avait fait irruption, « les habitants » des cavités pataugeaient dans l'eau. Ils avaient bien essayé de se protéger, au moyen de manteaux ou de quelques couvertures, récupérées à la dernière minute lorsqu'on les avait chassés de chez eux. Les trombes de pluie avaient transformé ce qu'ils avaient cru être un abri en des sortes de cuvettes débordant d'eau de pluie. Alors, on s'acharnait à écoper à la main, ou avec les cantines en métal qui avaient été aussi sauvegardées lors de l'expulsion des maisons et des appartements. On œuvrait avec énergie et, en s'y mettant à plusieurs, on finirait par réussir à atténuer les dégâts et pouvoir, ainsi, conserver sa place dans son trou. Puisque c'était cela, le combat immédiat : protéger et conserver cette cavité devenue la portion déterminée d'un territoire. En situation de précarité absolue, quand seules, désormais, ne comptent plus que les exigences matérielles — le concret, l'immédiat —, les êtres humains retrouvent une notion quasi animale du territoire. À chacun son espace, à chacun son trou. Même si la solidarité règne, chacun défend sa cavité. Il ne s'agissait donc pas de perdre cette pathétique enclave où l'on avait séché des briques et où se recroquevillaient maintenant des humains. Aussi bien, malgré l'humidité, l'eau dont on n'avait pas complètement pu se débarrasser, il était acquis et décidé que l'on ne quitterait pas le premier étage. On resterait dans son trou, dans sa mare, son cloaque. Son domicile.

4

Jusqu'ici, le petit Toma avait stoïquement vécu l'expulsion du foyer familial, la fin brutale de cette vie bourgeoise plutôt tranquille, plutôt confortable, qu'il avait connue au sein de cette famille de commerçants de Debrecen. Il avait tout aussi stoïquement supporté la montée dans les camions bâchés, les premières nuits sur des matelas de fortune sous une véranda d'une maison inconnue, l'entassement humain, la brutalité des S.S. — l'un d'eux avait frappé sa mère qui était tombée dans un escalier —, il avait subi la remontée dans d'autres camions, pour d'autres regroupements dans la grande usine et l'installation dans les caves à briques, d'où il avait regardé, en silence, par les brèches dans les murs, les multiples embranchements de rails à l'extérieur, et l'activité apparemment très régulière des trains composés de wagons à bestiaux et dans lesquels il voyait monter des gens qui ressemblaient à ses parents.

Il n'avait pas beaucoup posé de questions mais voici qu'un facteur nouveau venait modifier ses facultés de résistance. Il découvrait ce qu'aucun hiver jusqu'ici ne lui avait apporté et ce que l'été hongrois si brûlant de 1944 lui avait évité : un froid surprenant, inexorable. Il avait du mal à supporter cette humidité qui avait saisi ses vêtements et son corps. Il n'était pas le seul dans ce cas. Il grelottait, il tremblotait, il était parcouru de frissons qui s'emparaient de ses épaules et sa poitrine. Il éternuait et reniflait, refusait de pleurnicher, mais il se plaignait beaucoup, et presque constamment. Son corps n'acceptait pas cette nouvelle épreuve. Il réclamait un changement.

Rien n'y faisait, pas plus les paroles consolatrices de sa mère que les remontrances ou les regards courroucés de son frère et ses sœurs. À lui seul, il constituait l'opposition majeure au consensus qui avait déterminé la famille à conserver la position acquise dans le trou du premier étage. Il n'était pas ce qu'on appelle une mauviette. À son âge, Toma était déjà robuste, bien charpenté, plutôt grand de taille et, comme tout être humain aux prises avec une suite d'événements auxquels rien ne vous a préparé, il avait fait preuve d'adaptabilité, de vertus de silence, d'adresse et de souplesse. Il avait suivi et observé le comportement des plus anciens et il encaissait sans rien dire. Cependant, à cet étage de la briqueterie devenu un marécage, Toma venait d'atteindre un seuil de saturation, celui qui fait revenir l'enfant à l'enfance. Quelle que soit la force que les circonstances lui avaient appris à exercer, l'aspirant ainsi de façon violente vers l'âge adulte, Toma retombait dans la tendre impuissance de l'enfance.

Dans ce genre de situation, le plus faible, le « petit dernier » ne possède aucune chance d'avoir raison et de l'emporter sur la majorité. Mais pour faire taire la lancinante plainte du petit garçon, la mère, après réflexion, finit par accepter de déplacer son petit monde. Elle descend avec enfants et baluchons jusqu'au rez-de-chaussée où, il est vrai, le sol était plus sec. Il était quatre heures du matin.

« À six heures du matin, donc deux heures plus tard, raconte-t-il, tout le premier étage a été évacué par les S.S. et tous les "habitants" des caves de la briqueterie ont été envoyés à Auschwitz. Nous l'avons su plus tard. Si je n'avais pas eu froid, si ma mère n'avait pas décidé d'accéder à mes demandes, et de descendre d'un étage, nous nous serions retrouvés, aussi, dans ce convoi pour Auschwitz — et pour ce que l'on imagine. »

Ils finirent par monter plus tard, à leur tour, dans un train et pour la même direction. Mais leur convoi ne parviendra jamais jusqu'au terminus de la Solution finale. Éléments imprévisibles qui s'accumulent. Un petit garçon qui pleurniche. Un train qui ne va pas là où il devrait aller.

« Deux jours après l'orage, nous sommes donc embarqués à notre tour, quatre-vingt-dix à cent personnes par wagon dans un train en direction d'Auschwitz. Je suis incapable, lorsque je t'en parle aujourd'hui, de me souvenir de la peur. Je ne suis qu'un petit meuble qu'on transporte. La seule évidence, aux yeux des adultes, c'est que ce train, comme les autres, est destiné à se diriger vers ce que l'on connaît comme "un camp".

Nous sommes recroquevillés dans le fond du wagon, près d'un étroit vasistas par lequel pénètre l'air brûlant de ce torride été. Le contraste entre cette chaleur suffocante et le froid qui m'avait oppressé quelques nuits auparavant me trouble. Mais je subis et j'assume, et puis que faire d'autre ? Je ne suis rien, ni personne. Un petit meuble, t'ai-je dit, que l'on déplace de lieu en lieu. Je vais bientôt développer une incontinence. Le train roule lentement. Je n'ai pas la moindre idée de ce qui nous attend. Je ne fais confiance qu'à ma mère, qui nous rassure. On distribue un peu d'eau. On roule pendant une demi-journée et puis, soudain, on s'arrête en rase campagne. On m'autorise à sortir pour faire la queue et à recueillir de l'eau avec un récipient le long des rails. Je me souviens qu'un S.S. pose un long regard sur moi, et ne me dit rien. Je remonte dans le wagon. Le train demeure à l'arrêt, des heures et des heures et des heures. Nous restons entassés, serrés les uns contre les autres dans une odeur pestilentielle, avec à peine assez d'espace pour bouger son corps et respirer. »

5

Lorsqu'il évoque cette attente, mon ami donne l'impression de ne pouvoir se souvenir d'autres détails. Si je lui demande à quoi ressemblait l'intérieur du wagon à bestiaux, je lis une indulgence amusée dans son œil vif, comme si, véritablement, la couleur (« marron ») des parois de bois pouvait avoir une importance ou une signification quelconque. Quel intérêt, tout cela, hein ? Je lui explique que j'aime le détail, la couleur, le matériau, tout ce qui, à nous qui ne vivrons jamais cette sorte d'expérience, contribue à nous faire comprendre, à faire travailler notre imaginaire. Je lui dis, aussi, que j'ai toujours procédé ainsi dans mon écriture. Chercher le détail concret, visualiser. Je tente de reconstituer avec lui le récit de ce rendez-vous manqué avec la mort, mais mon ami accorde peu d'importance à ces détails : couleurs, odeurs, sensations éphémères, il ne lui reste, est-ce volontaire ? que la ligne la plus épurée de son compte rendu. D'abord parce qu'il est évidemment conscient — il l'a été pendant toute sa vie d'adulte et le répète régulièrement — de la douleur et de l'atrocité qu'auront connues des masses d'autres individus, autres familles, les martyrs par millions de la Shoah. Et qu'il a donc développé, tôt dans son existence, une notion de relativité ; la lucidité qui n'est pas la résignation, une coriacité qui lui permettra, plus tard, lycéen militant, de s'opposer au régime totalitaire du communisme hongrois, de passer à travers mines de charbon et prisons, et de s'échapper en rampant dans la glaise de la campagne près de la frontière pour s'engager enfin dans une vie autre, ailleurs, dans son pays d'adoption, la France. Devenir ce qu'il est.

« Si tu cherches ce fameux "élément inconnu" dont tu me rebats les oreilles et qui, selon toi, fait tourner une existence, je peux te dire qu'il est très modeste dans mon cas. Je ne saurai jamais si l'immobilisation de ce train est due à une décision d'un ou plusieurs fonctionnaires allemands en Autriche, quelque part à Vienne. Je sais ceci : notre wagon à bestiaux en direction d'Auschwitz n'avance plus. Que s'est-il passé ? La capitale de l'Autriche bombardée, quotidiennement, très sérieusement endommagée, avait un besoin pressant de main-d'œuvre. Les responsables locaux, en négociation avec les autres autorités allemandes, obtiendront que l'on immobilise et puis que l'on détourne certains convois, composés de femmes en état de travailler, d'enfants et d'hommes valides. On ne sait qui, on ne sait à quel moment, mais on voit pourquoi, il est décidé qu'un ou deux trains, pas plus ! plutôt que d'aller vers les chantiers de la mort en Pologne, feront demi-tour et prendront, non plus le chemin d'Auschwitz et de Birkenau, mais celui de Vienne. Nous avons fait partie de ce retournement — nous étions dans le "bon train", si j'ose m'exprimer ainsi.

C'est aussi prosaïque que cela. Aussi simple, aussi énorme. Nous apprendrons et comprendrons tout beaucoup plus tard. Dans l'instant, cela fait deux jours et demi que le train fait quasiment du surplace, et je suppose que, depuis le départ de Debrecen, nous n'avons pas parcouru plus de cent kilomètres. Comme si, quelque part, je ne sais quelle autorité, présidant aux mesures à prendre, attendait je ne sais quelle confirmation de je ne sais quel ordre. »

Dans le train, on ignore tout cela. L'humanité qui essaie de survivre là s'interroge, s'inquiète, et va bientôt connaître une immense surprise. Le train recule !

Il gémit, il grince, c'est lent au début, très, très lent, mais le convoi s'ébranle. Les occupants du wagon à bestiaux ne comprennent pas tout de suite le sens de ce mouvement. Il allait de l'avant et c'est vrai que maintenant, et cela se sent, cela doit avoir une signification, le convoi, à leur grande surprise, procède à une lente et longue marche arrière. Cela va durer assez longtemps pour que, ensuite, après avoir été re-aiguillé et re-routé, le train reprenne sa marche avant, certes, mais dans le sens contraire, à un rythme anormalement lent. Il y aura des arrêts, comme des hésitations. Mais il y a une évidence : on quittait l'est vers l'ouest. L'est, c'était la mort, l'ouest, ce sera la survie.

« Au bout de cinq à six jours, ponctués par des arrêts nombreux, dus peut-être à l'encombrement du réseau ferroviaire, ce diabolique enchevêtrement de lignes qui menaient toutes à la Solution finale, les portes du wagon se sont rouvertes. Nous avons entendu crier :

— Vous êtes arrivés à Vienne. Vous n'irez pas plus loin. »

De ce huis clos pestilentiel et suffocant dans le wagon, de cette poisse, cette faim, cette soif, ces cris, ces pleurs, ces imprécations, de ces frayeurs, cette angoisse collective, le partage de cette incertitude, s'extraient peu à peu les déportés. Hébétés, aveuglés par la lumière du jour, Toma et sa famille seront les derniers à sortir, puisqu'ils étaient empilés au plus profond du wagon, juste contre la cloison, et qu'il n'existe qu'une seule issue vers l'autre bout du wagon. En longeant les lattes de bois désormais vides, le garçon va voir, alors, les pieds de quatre cadavres, des gens qui ont perdu la vie depuis que le convoi a quitté Debrecen, dix jours plus tôt. Il ne distingue pas les corps, ni les visages qui sont recouverts de tissu ou de toile, de vêtements ternes et usagés. Il voit seulement les pieds qui semblent surgir de dessous la toile, alignés, quatre fois deux pieds, c'est-à-dire huit choses raides et « couleur jaune citron ». Autant mon ami a été, lors de son récit, économe de ces détails que je recherchais et qu'il avait — volontairement ou non — occultés, autant il s'arrête sur cette vision, cette couleur, le jaune citron des pieds des cadavres. Plus de soixante années plus tard, Toma insiste et me répète, c'est une litanie :

— Couleur jaune citron.

Après de nombreuses déambulations, nombreux déplacements, séances de tris humains pour déterminer ceux qui sont capables de déblayer, balayer, charrier pierres et gravats, les voici dans la banlieue de Vienne.

« Entre chien et loup, au moment où le soleil se

prépare à se lever au-dessus des lourdes façades de Vienne, le long cortège de femmes, d'enfants et d'hommes mûrs s'ébranle à pied dans les avenues encore calmes de la ville. Nous traversons des lieux de plus en plus habités et nous apercevons des familles entières, à peine sorties de leur lit, les cheveux en bataille, penchées à leur fenêtre ou agglutinées sur leur balcon. Tous contemplent, sans un mot, cette longue file de malheureux traînant leurs baluchons. J'éprouve alors le sentiment que je suis en train de fixer dans mon cerveau des images qui ne me quitteront jamais. J'aperçois, sur ces balcons et à ces fenêtres, des gens insensibles, des enfants incrédules qui cherchent, sans doute, à comprendre qui sont ces fantômes surgissant de la nuit. J'ai, encore aujourd'hui, la sensation de revoir défiler les lourdes façades des immeubles austères, comme on en voit à profusion à Prague ou encore à Budapest, carte postale de notre bien-aimée Mitteleuropa, de qui on a tant reçu, à qui nous avons tant donné, et qui nous a si lâchement abandonnés à notre sort funeste. De la gare, que nous venons de quitter, nous devons rejoindre un centre de regroupement (un lycée vide, c'est les vacances), d'où nous partirons vers notre camp, à Lobau, dans la banlieue de Vienne, à une heure de camion du centre-ville. »

Voici Lobau : des baraquements entourés de barbelés, avec lits Picot, matelas, des poêles pour faire chauffer la nourriture, ce qui paraît constituer un luxe suprême. Parallèlement au campement se trouve une installation de prisonniers de guerre britanniques et français.

« Ils étaient sympas avec nous. L'un d'eux m'aimait bien. J'ai essayé de le retrouver quand j'ai commencé ma nouvelle vie en France. Il s'appelait Louis Tourelles. J'avais un bout de papier sur lequel il avait écrit : "Maison. Image. Alfort." Malgré ces trois indices, je n'ai jamais pu retrouver sa trace. »

Les prisonniers de guerre recevaient souvent des paquets de nourriture et en faisaient profiter les enfants et leurs mères. Chaque matin, des camions venaient chercher les femmes pour les emmener œuvrer aux opérations de déblaiement. Les enfants, gardés par des personnes âgées sous la surveillance d'une quinzaine de S.S., avaient le droit de sortir dans les champs alentour pour déterrer ou chaparder pommes de terre et betteraves. Les bombardements se rapprochent. En quelques mois, le petit Toma a beaucoup grandi. Il n'est plus « petit » du tout. Il a appris à courir dès que sonnent les sirènes annonçant l'arrivée des bombardiers, il a appris à mesurer le temps entre le premier coup de sirène et le premier grondement des moteurs au-dessus de sa tête, il a appris à sauter dans les cratères déjà ouverts dans le sol afin de se protéger des éclats. Ces cratères lui rappellent étrangement les cuves inondées de la briqueterie. Il a neuf ans et il est déjà armé, entraîné, pourrait-on écrire, pour faire face plus tard à une autre répression, en Hongrie communiste. Et s'y opposer. Sa résilience est établie, inscrite en lui. C'est déjà un adulte. Et, comme toutes les grandes personnes, il observe le déroulement des événements extérieurs et il craint le pire.

« Nous étions sûrs que s'ils perdaient, et tout concourait à nous le faire croire, ils nous massacreraient avant de partir. Aussi bien redoutions-nous cette fin autant que nous l'espérions. Mais rien ne s'est passé comme nous l'avions craint. Un matin, on s'est levés, et on n'a plus vu un seul S.S., plus un seul ! Rien, personne, lorsqu'on regardait par les fenêtres grillagées de nos baraquements. Alors, on est sortis lentement, par petits groupes, et l'on s'est dirigés avec prudence vers les propres baraquements de nos geôliers. Il n'y avait plus personne. Partout, au sol ou sur les lits, des effets abandonnés. Ils avaient fui dans la nuit, sans aucun bruit. Je me souviens d'une image étrange : au coin d'une baraque, à l'extérieur, il y avait un sabre fiché dans le sol. Tout droit, comme un adieu, ou l'admission d'une défaite. Dans l'après-midi, on a vu arriver une vingtaine de soldats russes sur des chars. Ils jouaient de l'accordéon. Ils représentaient la liberté — ou du moins l'avons-nous cru à ce moment. C'était fini. »

6

Deux éléments inconnus ont décidé de la survie de Toma : un train qui conduisait à l'extermination est détourné par on ne sait quel fonctionnaire anonyme. Un premier étage inondé que l'on quitte deux heures avant que ses occupants ne soient embarqués pour Auschwitz. La plainte d'un enfant, l'intuition d'une mère, l'instinct. Il me dit :

« Avais-je conscience de ce qui nous arrivait ? Pour moi, la fatalité de la vie me poussait à croire que ça arrivait. parce que ça arrivait. J'ai tout appris et tout compris plus tard, bien sûr. L'enfant, par définition, est désarmé. »

Mais à l'âge où il va s'insurger contre la « République démocratique de Hongrie » (ni républicaine ni démocratique), Toma est déjà armé pour se dresser contre l'intolérance. Il oppose sa résistance à l'enseignement du russe. Têtu, il refuse de participer aux défilés, il n'accepte pas d'être enrôlé dans l'organisation des Jeunes Pionniers. Il rejette le stalinisme. C'est un lycéen brillant, qui exerce une très grande influence sur ses camarades. En outre, péché suprême, il est issu de la bourgeoisie, « politiquement pas sûr ». Il va donc connaître la mine de charbon T, près d'Ozo, dans le nord de la Hongrie. Il en sortira. Il décidera de quitter son pays. Il embarquera un jour dans un train, puis dans un car, se rapprochera des villages frontaliers et, dans le no man's land, il aura, à l'instant le plus périlleux, le réflexe de bondir sur un corps dans un sillon pour dissimuler un imperméable trop clair et échapper au projecteur d'une jeep russe. Ces Russes, qui l'avaient libéré une dizaine d'années auparavant lorsqu'il était petit garçon, à Vienne, où, désormais, régnait la liberté. Les libérateurs d'hier étaient devenus les geôliers du jour. L'ironie de ces renversements explique, entre autres, le sourire dans le regard de Toma.

Ainsi, enfouissant pour longtemps l'image des pieds de cadavres de couleur jaune citron et celle d'un sabre fiché dans la terre, le souvenir du wagon à bestiaux qui amorce un recul sur une voie de chemin de fer entre la Hongrie et l'Autriche, Toma a construit sa vie. Il ne se veut ni héros, ni exception, ni modèle. Tant d'autres ont connu tellement d'autres épreuves, plus ultimes et plus terribles, et c'est pourquoi il ne fait jamais état de ce qu'il appelle sa « petite histoire ». Lorsque je l'interroge sur sa vision du monde et du XXe siècle, il lâche : « Je n'exclus jamais que cela pourrait recommencer. »

Il dit des évidences, et il sait que ce sont des évidences. Il affirme les choses sur un ton calme, avec ce sourire auquel j'ai eu tort d'accorder trop d'importance. En réalité, la vie et la personnalité de Toma se révèlent dans ses yeux, où la noisette se mélange au bleu. Ces yeux, dans lesquels repose, précisément, le véritable sourire — puisque la vérité et le passé d'un homme sont plus lisibles dans ses yeux que sur ses lèvres. Les lèvres peuvent mentir, pas le regard. Toma répète que ce qui s'est passé en Europe pendant quatre ans a été « inouï et inacceptable ». Lorsque je le pousse un peu plus dans ses retranchements, il insiste : « Je n'exclus pas que cela pourrait recommencer. »

J'aime sa manière de me parler, modeste, simple, dépourvue d'emphase et presque trop elliptique. Il avait, d'ailleurs, manifesté quelques réticences lorsque je lui avais confié que je voulais tenter de mieux comprendre ce qui se cachait derrière son visage et en faire, peut-être, la troisième partie de mon livre.

Après tout, c'est très banal : le sourire et le regard d'un voisin, que l'on croise dans la rue, le matin, ou au pied de l'ascenseur, le soir. Ce n'est pas une expression évidente, ce n'est pas une béatitude désincarnée, ce n'est pas l'exposition intempestive d'une satisfaction matérielle. À peine un sourire, une lumière différente dans les yeux. Si on passe devant lui sans trop s'y arrêter, on ne peut rien comprendre à cette somme de sentiments, émotions, expériences, qui aboutissent à une manière de sagesse.

7

S'agit-il, dès lors, du regard du Sage ? Dans un recueil consacré à la sagesse, un Américain, Stephen S. Hall, a voulu récemment répertorier ce qu'il appelle les « huit piliers neuronaux de la sagesse ». Pilier neuronal ? La formule est curieuse, voire pataude, du charabia. Il eût suffi de dire : les qualités fondamentales nécessaires pour atteindre la sagesse. J'ai traduit du mieux que j'ai pu. Les huit piliers consisteraient en ceci :

1°) « La régulation émotionnelle » — (j'imagine que l'auteur, dans son pathos pseudo-scientifique, voulait seulement dire : le pouvoir de contrôler ses émotions).

2°) « L'habilité de juger de la valeur des choses. »

3°) « Le raisonnement moral. »

4°) « La compassion. »

5°) « L'humilité. »

6°) « L'altruisme. »

7°) « La patience. »

8°) « La capacité de traiter avec l'incertitude des choses. »

8

Si je passe en revue les quelques étapes de la vie de Toma, je vois bien qu'elles lui ont permis d'accéder à la sagesse. « Réguler ses émotions » ? Il a commencé à le faire dès que, baluchon en main, il est monté dans le wagon à bestiaux avec sa mère, son frère et ses sœurs. « Habilité de juger de la valeur des choses » et « raisonnement moral » l'ont amené quelque temps plus tard, au cours de ses années de lycée, à comprendre et combattre l'absurde et coercitif système stalinien, et à lui résister dans le Budapest des années de plomb. « La compassion », il l'a éprouvée lorsqu'il soutenait ses camarades dans les mines de charbon. Sans doute, aussi, le partage d'un espace minuscule, au milieu d'autres êtres humains, dans ce train qui aurait pu être fatal, lui a-t-il insidieusement inculqué la pratique et la vertu de la solidarité. « Humilité », il lui a en fallu beaucoup pour tout reprendre de zéro, lorsque la France l'a hébergé et qu'il a dû s'adapter à une autre langue, un autre pays, d'autres mœurs, et se transformer en cet homme qui passe devant vous, sans que vous lui prêtiez attention.

Toma est un quidam comme les autres. Il a une allure qu'on pourrait qualifier de bourgeoise, convenable, rien de surprenant. Mais il y a ce sourire dans les yeux. Celui des gens qui (huitième « pilier neuronal » !) ont appris à « traiter avec l'incertitude des choses ». Je ne connais pas de plus apte définition. Elle autorise Toma à porter cette expression dont le sens échappe à ceux qui le croisent : cet homme a traité avec l'incertitude des choses de la vie.

Incertitude : la somme indéchiffrable d'éléments inconnus qui façonnent et contrôlent les hommes et les femmes et dont j'ignore tout lorsqu'ils marchent à côté de moi.

Un type au visage maigre vous dévisage dans un restaurant. Un homme s'immobilise à l'écoute d'un air sifflé dans la rue. Un enfant avait très froid dans les cuves d'une briqueterie, il y a longtemps, en Hongrie.

Trois histoires du passé — elles semblent n'avoir aucun rapport les unes avec les autres, mais elles sont reliées par le même fil, tissées par une puissance obscure, au son de la même musique mystérieuse que joue le flûtiste invisible.

9

— J'ai rencontré quelqu'un.

Un jour, j'ai appris ce qu'était devenue Mademoiselle Maintenant, la fille en chaussures blanches et aux bras nus avec qui je m'en allais vers les plages vides d'Algérie.

Le « quelqu'un » qu'elle avait rencontré était un médecin arabe qui travaillait dans le même établissement où elle allait, chaque matin, pour aider les mères et les enfants blessés par les attentats, dans une annexe hospitalière située dans le bas quartier de Belcourt. Elle était tombée éperdument amoureuse de ce jeune homme. Elle décida donc de rester à Alger à ses côtés lorsque le jour de l'Indépendance fut déclaré, refusant de suivre sa propre famille qui avait pris le bateau pour la métropole sans espoir de retour. L'Indépendance officialisée, les nouveaux pouvoirs eurent vite fait de mettre des purges en route. Le départ en masse de la communauté pied-noir n'avait pas fait peur à Mademoiselle Maintenant. Elle aimait son homme comme elle n'avait jamais aimé. Elle l'identifiait à sa ville natale. Elle admirait sa dévotion et son courage.

Le jeune médecin avait « collaboré » avec l'armée française. Il fut dénoncé et traité en renégat, assimilé à la communauté maudite des harkis. Il fit partie d'une charrette de condamnés dont on trancha les têtes à coups de hache, sans jugement.

Mademoiselle Maintenant rejoignit ses parents, réfugiés dans le sud-est de la France. Elle devait y mourir de chagrin quelques mois plus tard.

« À quoi comparerai-je la vie humaine ?

Il faut la comparer à une oie sauvage qui interrompt son vol pour se poser un instant sur la neige.

Elle y laisse l'empreinte de sa patte, puis s'envole on ne sait où. »

Su Dongpo, cité par Simon Leys.

Œuvres de Philippe Labro (suite)

Aux Éditions Jean-Claude Lattès

CE N'EST QU'UN DÉBUT (avec Michèle Manceaux).
DES CORNICHONS AU CHOCOLAT.

Aux Éditions Nil

LETTRES D'AMÉRIQUE (avec Olivier Barrot) (« Folio », *n° 3990*).

Composition : IGS-CP
Impression : CPI Firmin-Didot
à Mesnil-sur-l'Estrée, le 1er mars 2013
Dépôt légal : mars 2013
Numéro d'imprimeur : 116795

ISBN : 978-2-07-014053-4/Imprimé en France

250474